chère Sarg

Merci à Toi

pour Ton support,

Ton accueil, Reste Toi

même,

Bonne route

L'Amour de soi

Catalogage avant publication de Bibliothèque et Archives Canada

Gervais, Marc, 1964-

L'amour de soi : une richesse à redécouvrir

(Collection Motivation et épanouissement personnel)

ISBN 2-89225-605-4

I. Estime de soi. 2. Changement (Psychologie). 3. Relations humaines. 4. Amour – Aspect psychologique. I. Titre. II. Collection.

BF697.5.S46G47 2005   158.1   C2005-941634-3

Adresse municipale :
Les éditions Un monde différent ltée
3925, boul. Grande-Allée
Saint-Hubert (Québec) Canada J4T 2V8
Tél. : (450) 656-2660
Téléc. : (450) 445-9098
Site Internet : http://www.umd.ca
Courriel : info@umd.ca

Adresse postale :
Les éditions Un monde différent ltée
C. P. 51546
Succ. Galeries Taschereau
Greenfiled Park (Québec)
J4V 3N8

Dépôts légaux : 4e trimestre 2005
Bibliothèque nationale du Québec
Bibliothèque nationale du Canada
Bibliothèque nationale de France

Conception graphique de la couverture :
OLIVIER LASSER

Photographies :
MICHEL LALONDE, SAINT-HUBERT, QUÉBEC

Révision partielle du livre :
CHRISTINE SAINTONGE

Photocomposition et mise en pages :
ANDRÉA JOSEPH [PageXpress]

Typographie : Sabon 13 sur 15 pts

ISBN 2-89225-605-4

Nous reconnaissons l'aide financière du gouvernement du Canada par l'entremise du Programme d'aide au développement de l'industrie de l'édition pour nos activités d'édition (PADIÉ).

Gouvernement du Québec – Programme de crédit d'impôt pour l'édition de livres – Gestion SODEC.

Gouvernement du Québec – Programme d'aide à l'édition de la SODEC.

Imprimé au Canada

Marc Gervais

Auteur du best-seller *La Renaissance*

L'Amour de soi

UNE RICHESSE
À REDÉCOUVRIR

UN MONDE ✦ DIFFÉRENT

Ce livre est dédié à tous ceux et celles qui désirent apprendre à s'aimer.

Merci à ma copine Chantal pour sa simplicité,
son soutien et son amour.

Merci à la Vie pour la naissance de notre petite fille.
Laurence, tu es un cadeau du ciel.

Note aux lecteurs

Ayant un style direct et chaleureux, j'ai l'habitude de tutoyer tous les participants lors de mes ateliers. Au risque de déplaire à ceux qui préfèrent le vouvoiement, je m'adresserai aussi à mes lecteurs en les tutoyant. Ne voyez pas là un manque de respect, mais seulement une façon pour moi de favoriser un rapprochement et de donner un ton plus personnel à ce livre.

De plus, je tiens à préciser que ce livre est destiné autant aux hommes qu'aux femmes, mais je me suis permis d'utiliser le genre masculin afin de ne pas alourdir le texte.

MARC GERVAIS

Table des matières

MarcGervais.com

Marc Gervais est membre de l'Association des conférenciers professionnels du Canada et donne des conférences de motivation et de croissance personnelle. Son sujet préféré, l'équilibre intérieur, s'adresse aussi bien à des groupes d'employés, à des cadres supérieurs d'entreprises, à des intervenants du milieu scolaire qu'à toute personne intéressée à favoriser l'harmonie personnelle et organisationnelle dans son environnement. Ses conférences sont présentées en français ou en anglais, partout au Canada.

Homme de cœur, ayant un parcours professionnel hors du commun, il est connu de plusieurs pour avoir fondé en 1995 La Renaissance, qui se donne pour mission d'aider les gens à découvrir leur véritable potentiel tout en guérissant leurs blessures du passé.

Son travail de policier l'a habitué à côtoyer des gens aux prises avec des dépendances de toutes sortes. Son désir d'être plus près des gens pour les épauler l'a amené à quitter son poste dans la police pour devenir conférencier et auteur.

Grâce à ses milliers de conférences, de soirées thématiques et de sessions de croissance personnelle touchant tour à tour des sujets comme le bonheur, la dépendance affective, les relations amoureuses toxiques, le pardon, les drogues, le lâcher prise, entre autres, et grâce également à son charisme, Marc se fraie peu à peu un chemin dans le cœur des gens et les aide généreusement.

Son premier livre intitulé *La Renaissance : Retrouver l'équilibre intérieur*[1], publié aux éditions Un monde différent, a connu un vif succès. Dans cet ouvrage, il relate bien sûr des pans de sa vie mais il se questionne sur les rapports humains. Son deuxième livre, *Nous : Un chemin à deux*[2] traite des relations de couples et enfin celui-ci, *L'Amour de soi : Une richesse à redécouvrir*[3] s'intéresse pour sa part à la relation d'amour à entretenir avec soi-même.

---

1. Marc Gervais, *La Renaissance : Retrouver l'équilibre intérieur*, éditions Un monde différent, Saint-Hubert, Québec, 2001, 192 pages.
2. Marc Gervais, *Nous : Un chemin à deux*, éditions Un monde différent, Saint-Hubert, Québec, 2002, 208 pages.
3. Marc Gervais, *L'Amour de soi : Une richesse à redécouvrir*, éditions Un monde différent, Saint-Hubert, Québec, 192 pages.

Marc possède un talent incomparable pour appro-fondir des thèmes précis avec humour, comme pour dégager le trop-plein d'émotions et passer malgré tout un message. C'est ce qu'ont pu découvrir les spectateurs ravis du Théâtre Saint-Denis à Montréal, alors qu'il y faisait salle comble, et où M. et Mme Tout-le-monde se reconnaissaient dans les personnages présentés et riaient de bon cœur. De plus, il agit à titre de chroniqueur pour certains journaux locaux et ses articles sont lus par des milliers de personnes chaque semaine.

Après vous avoir brossé ce portrait sommaire de Marc, vous comprendrez peut-être un peu mieux ce qui motive toujours un grand nombre de gens à venir l'écouter.

Veuillez noter que Marc est également disponible pour des consultations privées. Pour obtenir de l'infor-mation additionnelle sur ses services, veuillez commu-niquer directement avec lui à marc@marc gervais.com, son adresse électronique.

Voici ce que disent quelques participants à ses conférences :

« Grâce à la conférence de Marc Gervais, je m'accepte telle que je suis, avec mes défauts et mes qualités et je suis mieux dans ma peau. Marc est un gars exception-nel qui m'a aidée à dédramatiser ma vie. »

MARIE-CHANTAL TOUPIN,
chanteuse professionnelle, Montréal, Québec

« Je voudrais sincèrement remercier Marc Gervais et toute son équipe pour cette merveilleuse conférence de fin de semaine. Cette expérience m'a donné une grande confiance pour ma préparation en vue de remporter le titre de Miss Canada et, plus encore, cela m'a appris l'importance de s'aimer, de s'accepter et de se respecter.

Katrine Boileau, Miss Québec 2003-2004

« La conférence m'a aidée à garder un équilibre intérieur après l'assassinat de mon mari, Benoît L'Écuyer, policier de Montréal, décédé en 2002… »

Annick Royer, Montréal, Québec

« La conférence nous permet de régler plein de choses et donne des résultats étonnants quand on est prêt à changer. »

Aline Lévesque, auteure du livre
Guide de survie par l'estime de soi et
La Tendresse…

« Marc est un gars exceptionnel qui m'a aidé à dédramatiser ma vie… »

Ivérick Bougie (ancien chanteur
des Fous du Rock and Roll)

« Grâce à cette conférence, j'ai réussi à accepter mon handicap et je suis finalement bien dans ma peau. »

Paul, Curran, Québec

« Marc a su développer avec simplicité le potentiel qui est en lui et il est une source d'inspiration pour les autres. Son succès dans les sessions de croissance personnelle est attribuable à son bagage d'expériences personnelles et professionnelles, à son souci sincère des autres, à sa motivation et aux efforts consacrés à atteindre ses objectifs. En d'autres mots, Marc déploie ardeur et don de soi pour faire progresser l'humanité. »

Yolande Carrière,
Plantagenet, Ontario

N'ABANDONNE SURTOUT PAS

Lorsque dans la vie rien ne va plus, que les problèmes tourmentent ton esprit et que l'argent te cause tant de soucis… Repose-toi s'il le faut, mais n'abandonne surtout pas.

Lorsque trop d'erreurs ont été commises, que tout ton univers menace de s'écrouler et que, fatigué, tu sens la confiance t'abandonner… Repose-toi s'il le faut, mais n'abandonne surtout pas.

Tu sais, la vie est parfois étrange, avec son lot de surprises et d'imprévus, et il ne nous est pas donné de savoir à l'avance combien d'étapes nous devons franchir ni combien d'obstacles nous devons surmonter avant d'atteindre le bonheur et la réussite.

Combien de gens ont malheureusement cessé de lutter alors qu'il n'aurait peut-être fallu qu'un petit pas de plus pour transformer un échec en réussite ?

Pourtant un pas à la fois n'est jamais trop
difficile. Tu dois donc avoir le courage et
la ténacité nécessaires pour faire ce petit pas
de plus, en affirmant que la vie est une grande
et puissante amie qui est toujours à tes côtés,
prête à te porter secours.

Tu verras alors que cette attitude appellera
du plus profond de toi-même des forces de vie
que tu ne soupçonnais même pas et qui
t'aideront à réaliser ce que tu entreprendras.

Quand dans ta vie, des moments difficiles
viendront… Repose-toi s'il le faut,
mais n'abandonne surtout pas.

———⟫◆⟪———

Dans l'univers, tu n'es peut-être qu'une seule personne, mais pour une personne, tu es peut-être l'univers…

Ne perds pas ton temps pour quelqu'un qui est trop occupé pour en perdre avec toi…

Ne pleure pas parce que c'est fini, mais souris parce que c'est arrivé…

Et souviens-toi, ce qui arrive n'arrive jamais pour rien…

La vie ne se mesure pas par chaque souffle que l'on prend, mais plutôt par les moments qui nous coupent le souffle !

« AIME DAVANTAGE LA VIE,
LE BONHEUR SERA
TA RÉCOMPENSE. »

L'amour de soi,
une richesse à redécouvrir

À mon avis, faire preuve d'amour pour soi-même équivaut à étaler sa richesse. Depuis ma plus tendre enfance, on me répète que la plus grande richesse de la vie est la santé. Dans cette perspective, je me suis donc posé la question suivante : *« Si la santé figure parmi les éléments les plus souhaitables qui soient, pourquoi y a-t-il tant de gens en santé incapables de trouver le bonheur et l'équilibre émotionnel qu'ils désirent ? »*

Avoir la santé, n'est-ce pas en soi synonyme de bonheur ? Ne devrais-tu pas être heureux d'être en santé ? Alors, pourquoi plusieurs personnes dites en santé se réfugient-elles dans l'alcool, la drogue, la sexualité et les relations toxiques qui, à long terme, s'avèrent irrémédiablement destructives ? Ne comprennent-elles pas qu'en faisant de tels abus, elles ne font qu'attirer les maladies physiques et mentales ? Pourquoi ne jouissentelles pas de leur santé, cette santé si précieuse que les gens affligés de la maladie leur envient ?

Comment une telle dépendance a-t-elle pu s'installer ?

Notre système de santé a connu une évolution et s'est perfectionné au fil des années, mais les services offerts pour répondre aux besoins de la population ont également occasionné des excès, si bien que nous avons recours à des médicaments pour soulager toutes sortes de malaises qui ne nécessitent pas de médication au départ.

Par conséquent, tout cela a engendré une société de consommation de pilules où les gens ont développé une telle dépendance aux médicaments sur ordonnance que les salles d'attente chez les médecins débordent pour se procurer ces fameuses prescriptions sur papier.

Et pourtant, il ne s'agit pas ici de gens affligés du cancer, du diabète ou de maladies génétiques et héréditaires, mais plutôt de gens qui souffrent du mal de vivre, qui éprouvent un vide intérieur et un manque d'amour flagrant pour eux-mêmes. Puisque nous ne comprenons pas l'origine de ces maux et comment faire pour ne plus souffrir, nous cherchons une méthode rapide de les supprimer, d'où les médicaments sur ordonnance.

En fait, nous vivons à l'époque de l'instantanéité, où des résultats immédiats sont exigés. Mais comme nous ne parvenons pas à tout régler tout de suite, notre impatience nous pousse à développer non seulement une dépendance aux pilules, mais aussi une dépendance aux autres. Si cette consommation est répétitive et si ces agissements dépendants s'éternisent, cela entraînera le plus souvent un comportement destructif envers soi-même.

Il en va de même pour ceux qui consomment de l'alcool ou de la drogue à l'excès. Il faut comprendre que le mal émotif doit être vécu et non « gelé ». Toutes les substances qui t'empêchent de vivre tes émotions sont à bannir, car elles cultivent chez toi la négation et le dénigrement et retardent ta guérison.

Pour amorcer le processus de ta guérison, tu dois te libérer de ton mal intérieur en le partageant avec un confident, une personne en qui tu as pleine confiance. Il n'est pas souhaitable de refouler tes émotions. C'est pourquoi il est nécessaire de temps en temps d'avoir mal pour te libérer d'un secret ou d'un non-dit enfoui au fond de ton cœur.

Quels outils offrons-nous à nos jeunes ?

Lors d'une conférence que je donnais à plus de quarante directeurs d'écoles, j'ai exprimé mon opinion sur le système d'éducation qui, selon moi, fait preuve d'un déséquilibre sur le plan de la formation.

Je leur ai fait la suggestion de réévaluer le contenu des matières enseignées actuellement en classe. Pourquoi ne pas inclure dans le programme, en parallèle avec le cours d'éducation physique, des cours de croissance personnelle ? N'est-il pas aussi important d'apprendre à se connaître, à s'aimer et à s'accepter – et ainsi obtenir des bons outils de départ – pour atteindre son vrai potentiel ?

Trop d'adolescents sont victimes d'un passé chargé d'émotions et n'apprennent jamais à le gérer. Plusieurs commencent leurs vies d'adultes déjà dépendants affectifs sans en être conscients. Ce manque de conscience nuit sans aucun doute à leur harmonie intérieure et nourrit une souffrance qui, si elle reste incomprise, devient quelque chose d'incontournable à solutionner un jour ou l'autre.

Avez-vous remarqué à quel point les élèves sont poussés à développer leur raisonnement intellectuel alors qu'on ignore leur champ émotif ? Nous leur enseignons toutes les matières que nous jugeons utiles pour qu'ils réussissent dans la vie et qu'ils décrochent un emploi, mais nous oublions de les sensibiliser à l'importance d'une croissance équilibrée. Car la vie comporte des obstacles parfois négatifs qui poussent à l'autoévaluation et à la remise en question de soi.

En apprenant dès son plus jeune âge à gérer ses émotions et à respecter son équilibre intérieur, l'enfant apprend à mieux envisager les obstacles qui menacent d'obstruer son parcours. Ainsi outillé, il arrive par lui-même à les surmonter positivement, sans ressentir de honte et d'embarras, et sans forcément avoir recours à l'aide d'autrui.

Ce n'est pas le mandat exclusif de la commission scolaire d'orienter les élèves quant à leur croissance personnelle puisque les parents ont aussi un rôle à jouer en ce sens. Mais je suis persuadé qu'un cours sur la croissance personnelle contribuerait à diminuer les abus physiques et les désordres mentaux dans les cours de récréation.

Pourquoi ne pas ajouter au programme un cours sur la confiance, l'amour de soi, la discipline, les responsabilités, le pardon, la guérison, et d'autres sujets concrets qui épauleraient nos jeunes plus tard ? Ne vaut-il pas mieux prévenir que guérir ? Nous savons qu'une personne négative et instable sur le marché du travail perçoit son emploi comme un fardeau qui risque de devenir lourd. Résultat : Elle perd cet emploi ou pire encore elle adopte envers elle-même un comportement destructif.

Ne serait-il pas alors plus profitable d'introduire dans son vécu l'apprentissage et l'importance des valeurs positives pour qu'elle puisse ainsi apprendre à gérer le stress d'une façon saine, tout au long de sa vie ? Je crois donc que le développement du quotient émotionnel s'avère à la fois primordial et tout aussi indispensable à la jeunesse d'aujourd'hui que le quotient intellectuel.

Pour ma part, je peux vous dire que j'ai suivi de nombreux cours de mathématiques complexes au primaire et au secondaire, mais je n'ai jamais utilisé aucune de ces notions dans toute ma carrière. Par exemple, que le nombre douze ait une racine carrée ou non ne m'a jamais empêché de dormir ou de prendre des décisions intelligentes. Malheureusement, je ne peux en affirmer autant pour les déséquilibres d'ordre émotionnel subis lors de mon enfance et de mon adolescence.

Qu'on me comprenne bien ici, je ne suggère pas d'abolir les cours de mathématiques, car il y a des domaines où ces données sont fondamentales et pratiques, mais j'incite simplement le ministère à accorder autant d'attention à l'apprentissage de soi.

Que souhaitons-nous pour nos enfants ?

Quand l'enfant vit la douleur de sa première peine d'amour, de son premier rejet, fait face à son premier deuil ou à sa première tentation de consommer des drogues, même s'il est doué intellectuellement et qu'on lui a fourni tous les outils nécessaires pour prendre la bonne décision, il reste souvent pris au dépourvu dans ces moments-là et il agit sur le coup de l'impulsivité. Son comportement est alors trop souvent dicté par ses émotions et la pression de ses pairs. En fait, un enfant en manque d'amour cherche à plaire aux autres et, pour combler ce manque, il devient vulnérable aux tentations.

Nous savons que personne n'est à l'abri des épreuves de la vie et que même si nous voulons protéger nos enfants, ils devront tôt ou tard affronter seuls un traumatisme émotionnel, une peur, ou prendre une décision importante par eux-mêmes. En sachant cela, il s'agit de leur procurer les moyens appropriés de mettre la chance de leur côté. Il faut adopter une certaine logique. Ainsi, nous n'envoyons pas nos enfants jouer dehors à moins vingt degrés Celsius sans les habiller chaudement, mais nous n'hésitons pas à les laisser dans des conditions remplies de contraintes, qui débordent de violence et de stress.

« Nous n'abandonnons pas nos enfants dans de telles conditions », dites-vous ? Que faites-vous alors du réseau Internet, du divorce, de la drogue, des cours d'écoles, des camarades de classe, des étrangers et de la télévision auxquels vos enfants sont exposés ? Ce ne sont là que quelques exemples d'éléments pouvant engendrer le stress chez vos enfants, et ce, d'une façon quotidienne, mais que vous ne pouvez pas totalement contrôler.

N'oubliez pas, votre enfant ne vous fait pas toujours part de toutes les émotions qu'il éprouve. Ceci dit, ne serait-il pas plus avantageux pour lui (ainsi que pour vous) de pouvoir compter dès le début sur un bon équilibre intérieur ?

À quand la croissance personnelle ?

Lors de mes séminaires, mon auditoire se compose de gens de tous les milieux sociaux. Il y a toutefois une tendance grandissante de gens pratiquant un métier professionnel tels que des médecins, des avocats et des notaires qui se tournent vers la croissance personnelle. Ils viennent chercher de l'aide, car ils se sentent impuissants devant leur souffrance émotive. Ils ne comprennent pas pourquoi, malgré leur éducation et leur pratique dans un milieu professionnel, ils parviennent toujours à aider les autres sans pour autant avoir la capacité de s'aider eux-mêmes après un échec personnel.

Certains d'entre eux ont connu la dépression, ont cessé de travailler et même de manger parfois pour une simple peine d'amour. Ne sachant trop quelles démarches entreprendre pour s'en sortir, ils ont vécu avec la douleur et en sont devenus victimes. D'autres ont aussi songé au suicide car ils avaient perdu leur gros bon sens. Je leur ai fait comprendre que si une perte d'amour suffisait à les démolir de la sorte, ils seraient complètement démunis le jour où ils se trouveraient devant un traumatisme plus complexe.

Vivre avec soi d'abord

Chose certaine, il faut arrêter de se définir d'après nos relations avec les autres. On dit que 99 % de tous les gens rencontrés ne sont que de passage dans notre vie. Si une personne décide de mettre un terme à une relation de nature amicale ou amoureuse avec toi, il te faut accepter d'abord et avant tout que la vie continue, aussi pénible que cela puisse être. Cette personne n'a fait que passer sur ton chemin. Parfois, il vaut mieux être seul que mal accompagné.

En effet, vivre avec un autre être humain peut entraîner des complications à court et à long terme.

Personne n'appartient à personne, donc personne ne t'appartient. Être jaloux et possessif, c'est faire preuve d'un manque d'amour à la fois envers l'autre et envers toi-même. Le vrai grand amour ne peut exister que lorsqu'il est nourri et vécu dans un environnement sain, en respectant pleinement l'autre et soi-même. Pour ce faire, on doit davantage vivre et laisser vivre.

La différence entre un adulte heureux et un adulte dépressif se résume à sa façon de gérer ses émotions. Le taux élevé de divorce que nous connaissons de nos jours n'est-il pas relié au fait que les gens ne savent pas vraiment comment composer avec leurs émotions ? Il est impossible de rectifier un comportement si on ne comprend pas pourquoi on réagit de telle ou telle façon, et pourquoi tel sentiment refait surface dans telle situation.

À preuve, les enfants du divorce connaissent la douleur de l'abandon malgré leur jeune âge et parviennent à s'en sortir s'ils ont des parents qui comprennent bien leurs besoins. Il est triste de constater toutefois que certains suivront l'exemple de leurs parents et s'engageront eux-mêmes un jour dans une relation toxique avant de vivre une séparation ou un divorce.

Apprendre à s'aimer

Notre génération a grandement besoin d'apprendre à s'aimer afin de retrouver la paix et la sérénité qu'apporte l'amour de soi et des autres. L'amour de soi est une énergie positive, un sentiment de bien-être intérieur qu'on ressent pour soi-même, c'est l'amour le plus pur qui soit.

Ce sentiment nous procure la valorisation personnelle, une forme de validation, la sécurité, la confiance en soi et nous transforme en une personne agréable et pleine d'amour dans nos relations personnelles et interpersonnelles. Comme on l'a vu précédemment, avoir la santé physique est primordial, mais ce n'est pas un gage de paix intérieure comme l'est davantage l'amour de soi.

Le bonheur est un état d'âme que l'on connaît quand on éprouve de l'amour pour soi. Il y a maintenant de cela quelques années, quand je visitais des prisonniers en prison et des malades dans les hôpitaux, certains d'entre eux me semblaient tellement plus heureux et comblés que la plupart des gens qui étaient pourtant libres et en pleine santé. Pourquoi en était-il ainsi ? En fait, les prisonniers, tout comme les malades visités, étaient heureux dans la mesure où ils acceptaient ou s'accommodaient de leur état. C'était leur attitude par rapport à ce qu'ils vivaient qui changeait vraiment quelque chose à leur situation.

Comme on bâtit sa maison…

Ne sois pas trop exigeant envers les autres et toi-même. Chacun vit ses moments de faiblesse. Il faut fournir les efforts nécessaires pour apprendre à s'aimer. Inutile de compter sur la chance ou de penser pouvoir acheter l'amour de soi. Aie la volonté d'apprendre avant tout à te connaître et, en t'aimant davantage, tu jouiras enfin du bonheur et tu éprouveras un sentiment de plénitude profond. Même si le processus semble complexe, apprendre à s'aimer est la route la plus droite à emprunter en direction du bonheur.

Tout comme pour la construction d'une maison, tu dois suivre certaines étapes lors de ton cheminement de croissance personnelle. Tu dois d'abord tenir compte de ta fondation et y ajouter ensuite d'autres composantes, telles les relations interpersonnelles, les joies, les conflits, les deuils, et tant d'autres données nécessaires à ton évolution, et ce, pourvu que ta fondation demeure solide et stable.

Toutefois, avant d'entreprendre cette construction, je te suggère fortement d'y travailler avec discipline et de ne pas avoir peur d'agir en fonction de tes besoins. Étant trop souvent vulnérable, l'être blessé va chercher à trouver l'amour pour pouvoir combler son vide intérieur, alors qu'il ne s'agit pas alors pour lui d'un temps propice à une telle quête.

Étant donné cette grande vulnérabilité qui t'habite, je te conseille vraiment d'être compréhensif vis-à-vis toi-même. Il ne faut jamais chercher à rencontrer quelqu'un dans l'espoir d'être heureux, mais il te faut plutôt être déjà heureux avant de faire la connaissance de l'être cher. Tu dois aussi te considérer digne d'amour avant de pouvoir en donner à autrui.

Voilà ce que ce livre vous propose

Ce livre est dédié à tous ceux et celles qui désirent apprendre à s'aimer un jour à la fois…

Bonne route.

Marc Gervais

« Il y a trois choses
d'extrêmement dures :
l'acier, le diamant
et se connaître soi-même. »

Benjamin Franklin

On doit changer
pour soi-même

Lors de mes conférences, j'entends parfois les gens dire qu'ils n'ont plus le choix de changer leur vie pour le mieux, tellement ils sont découragés et tristes. Ils espèrent que de venir écouter et participer à mes ateliers de croissance personnelle leur procurera les moyens de changer et d'être mieux dans leur peau. Cependant, ce qui les encourage à souhaiter cette transformation intérieure, c'est très souvent leur culpabilité quant au fait d'avoir blessé quelqu'un et la peur du rejet.

Il est toutefois regrettable qu'une personne ait la volonté de se prendre en main juste pour les autres et n'évoque même pas le désir de le faire pour elle-même. En changeant son comportement et ses attitudes strictement pour plaire à autrui, ce changement sera plutôt temporaire puisqu'il n'est pas volontaire. C'est ce qui se produit quand un partenaire avoue avoir changé son comportement afin de renouer des liens affectueux avec son partenaire et dans l'espoir secret de regagner son affection. Dans certains cas, cette façon de démontrer un désir de changer n'est ni plus ni moins qu'une forme de manipulation.

Quelles sont les solutions ?

Si tu changes par amour de toi-même, cette transformation peut persister toute une vie durant. En conséquence, tu devrais toujours te soucier en premier lieu de ce que tu penses par rapport à toi-même pour ainsi te reconnaître et t'accepter tel que tu es. Plusieurs négligent leur croissance personnelle jusqu'au jour où ils sont appelés à vivre une souffrance.

Forcé d'envisager la douleur sur le plan émotif, tu cherches en vain à trouver des solutions immédiates pour supprimer ton malaise. Puisqu'il n'existe pas de solutions préfabriquées et instantanées, tu es pris au dépourvu. Il y a toutefois des démarches que tu peux entreprendre pour donner suite à une réflexion, à un effort, et ainsi en arriver à une solution plausible. Il s'agit d'un processus d'apprentissage parfois long et ardu qui peut te pousser à abandonner ta quête de peur d'avoir à affronter l'inconnu.

Tout comme pour l'entretien d'un arbuste, ce cheminement interne en toi doit être nourri, protégé, compris et soigné. Et comme un arbuste ne peut devenir logiquement un arbre en une seule journée, il en est de même pour ton cheminement personnel qui grandit avec ton évolution. Par exemple, pourquoi attendre un divorce avant de te décider finalement à te prendre en main et de devenir un meilleur partenaire ? Ne serait-il pas mieux de vouloir t'améliorer dans ton couple pour justement prévenir le divorce ?

Il n'est pas nécessaire d'avoir mis fin à une relation ou d'avoir des problèmes pour vouloir améliorer sa vie. Faites-le pour vous-même, par amour pour vous-même tout simplement. Il arrive, à l'occasion, lors de mes conférences, que je demande au groupe de réfléchir à ce qui a motivé chacun à venir participer à mes ateliers. Je peux vous dire que, de plus en plus, des participants viennent y assister tout simplement pour maintenir leur qualité de vie et leur équilibre intérieur, par amour pour eux-mêmes. Ils avouent aussi être là pour découvrir de nouveaux horizons, acquérir de nouveaux outils.

Mieux vaut prévenir que guérir

Il s'agit donc bien davantage ici de conserver de bonnes habitudes de vie que de combler un besoin de déséquilibre. De la même façon que tu nettoies la poussière sur les meubles pour ne pas qu'elle s'accumule, tu dois cultiver avec soin ton cheminement intérieur afin de maintenir ton équilibre sain et l'empêcher de « s'encrasser » par négligence. Je considère qu'environ 20 % des gens qui participent à mes conférences sont déjà bien dans leur peau et possèdent une bonne connaissance d'eux-mêmes.

De nos jours, la croissance personnelle est pour sa part un sujet dont on parle plus facilement et qui est aussi plus accessible. Tu n'as qu'à regarder sur les rayons des bibliothèques et dans les librairies le nombre d'ouvrages consacrés à la croissance personnelle et qui gagnent de plus en plus de popularité parmi les lecteurs et les lectrices.

Étonnamment, autant les conférences et les livres axés sur la croissance personnelle sont de plus en plus renommés, autant ils traduisent aussi la souffrance d'une grande part de la population. Pour une raison ou une autre, les gens attendent toujours d'être en quelque sorte pris au piège de leur désespoir avant de chercher de l'aide, de soigner leurs blessures, au lieu de faire leur propre cheminement personnel en vue d'un mieux-être.

Ces blessures ou ces souffrances intérieures, que je compare parfois à un cadeau déguisé, ont pour but de nous faire grandir et apprendre. Pour certains, cette souffrance est le début d'une délivrance, alors que pour d'autres, elle constitue un obstacle insurmontable. Pourtant, le simple désir de vouloir t'aider est déjà un signe d'amour pour toi-même, en autant que ce désir vienne de toi et que tu le fasses pour toi, et non pour plaire aux autres.

Bien entendu, le processus d'apprentissage et de guérison est une route que plusieurs abandonnent souvent, faute de discipline personnelle. C'est pourquoi il est bon de t'engager envers toi-même à poursuivre ton cheminement tout au long du processus et ainsi de t'assurer son succès. Donne-toi toutes les chances d'apprendre et de guérir. Prends le temps qu'il faut pour mieux te connaître et t'aimer.

À quoi bon te dévaloriser ?

N'oublie pas qu'il s'agit avant tout d'un processus d'apprentissage et que personne n'apprend au même rythme. Peu importe le temps que cette démarche nécessitera, fais-toi la promesse de t'engager et d'y travailler jusqu'au bout afin d'en faire une réussite. Non seulement ta vie ne sera plus la même, mais le regard que tu porteras sur les autres sera également très différent.

On entend souvent dire dans notre société que les jugements et les critiques les plus sévères sont celles que l'on s'inflige soi-même et à l'égard de soi-même. Cette autodévalorisation détruit inconsciemment ton estime personnelle et nourrit en même temps ton manque de confiance. Il faut néanmoins que tu apprennes à te respecter suffisamment pour vouloir changer ta vision de toi-même.

Pour ce faire, un petit exercice peut t'aider à faire le point. Écris sur une feuille de papier tes qualités et tes défauts, puis examine tout cela sérieusement. Aimerais-tu améliorer l'image que tu as de toi-même, celle que tu projettes dans ton entourage ?

Prendre conscience des changements souhaitables est l'une des premières étapes pour amorcer une croissance personnelle saine. Mais attention, ne sois pas porté à te dévaloriser davantage en n'inscrivant que tes points faibles. Tu dois t'analyser de façon constructive et chercher des solutions. Valide tes points forts et tes qualités. Tu seras peut-être agréablement surpris.

En ce qui me concerne, pour apprendre à me connaître, mieux vaut l'action que la contemplation. Un cœur stimulé par l'amour de soi est un cœur agréable et lucide par rapport à sa relation avec soi-même. La sérénité et l'harmonie retrouvées te rendront plus énergique dans tes rapports quotidiens et te permettront de mieux apprécier la vie. Tu te rendras compte enfin que l'herbe n'est pas toujours plus verte de l'autre côté de la clôture.

Apprécie ce que tu as et fournis les efforts qu'il faut pour conserver ce que tu as réussi à atteindre, ou pour changer ce que tu désires modifier. Prends bonne note d'ailleurs que ce que tu considères comme une perte peut être perçue de ton entourage comme un atout. Dans mon cas, ma souffrance antérieure m'a permis de trouver le succès professionnel en mettant sur pied des ateliers de motivation qui ont aidé et aident encore des milliers de gens, et qui ont ainsi contribué à un changement positif dans ce monde.

« Ce ne sont pas tant les
choses que nous ne
connaissons pas qui nous
donnent des problèmes.
Ce sont les choses que nous
croyons connaître. »

Dicton américain du XIXe siècle

On ne peut changer une personne qui ne veut pas

L'amour et l'acceptation de soi sont les outils nécessaires à la croissance personnelle. Personne ne peut faire ce chemin pour toi. Il est important d'assumer ton passé, peu importe ce que tu as vécu, afin d'entreprendre correctement ton cheminement. C'est seulement une fois que tu auras compris et accepté ton passé qu'il te sera possible de commencer le processus de guérison. C'est l'amour de toi-même qui va te permettre d'effectuer la transformation souhaitable.

Rappelle-toi que d'apprendre à t'aimer peut au début s'avérer difficile, voire pénible, puisque tu te dois d'admettre tes erreurs et c'est souvent pénible à avouer. Toutefois, dis-toi que d'admettre t'être trompé te libérera de ta souffrance et cédera la place à une transformation intérieure. Pour ce, dresse une liste de tous les torts que tu as fait subir aux autres et demande-toi si tu t'es pardonné tout cela.

Même s'il t'en coûte d'admettre tes erreurs, il n'en demeure pas moins que c'est souvent la première étape de ta guérison. Combien de gens appelés à s'auto-examiner et à envisager leurs échecs renoncent-ils à cette démarche et abandonnent en cours de route, de peur d'avoir trop mal. Ironiquement, c'est pourtant en refusant de souffrir que tu restes blessé. Certains ont tellement peur de cette souffrance qu'entraîne l'échec qu'ils préparent d'avance une explication plausible mais erronée pour justifier cet échec et préserver par le fait même leur orgueil.

Apprends à te pardonner

T'arrive-t-il parfois de blâmer tout le monde sauf toi-même pour ce qui t'arrive ? C'est un mécanisme de défense propre à une personne qui souffre devant son échec et qui cherche à blesser les autres, souvent par vengeance personnelle, et pour se donner le sentiment d'être soulagé momentanément. En agissant de la sorte, ce comportement destructif envers les autres et toi-même se poursuit, ouvrant ainsi la porte à un sentiment d'hostilité.

Chose certaine, quelqu'un qui n'a pas la volonté de changer ne changera pas. Trop de choses lui sont nécessaires pour réussir dont, entre autres, la volonté de changer. Comme on le voit, un des défauts tenaces qui nuit considérablement à l'épanouissement personnel est l'orgueil. Pour certains, il est plus fort que le désir de changer. En effet, comment peut-on changer si l'on refuse d'admettre ses torts et ses peines ?

Admettre tes torts et tes peines te permet enfin de te pardonner pour ensuite tourner la page et continuer ton chemin. As-tu déjà été en relation amoureuse avec une personne qui avait toujours raison et qui refusait d'admettre la moindre défaillance de sa part ? Comment une telle relation peut-elle évoluer quand l'orgueil prend toute la place ? C'est impossible. C'est pourquoi on dit qu'une personne orgueilleuse et bornée sur ses propres convictions est sa principale ennemie.

Pour évoluer, il faut démontrer une certaine dose d'humilité et ne pas se soucier de ce que les autres pensent de nous. De plus, il faut être assez honnête pour accepter qu'on ait échoué et par la suite continuer sa route. Il ne faut toutefois pas croire que d'admettre une faiblesse ou un tort fait de toi une personne exemplaire.

Parfois, le fait d'admettre ses torts porte l'individu à devenir si hostile et si dépressif envers lui-même qu'il parvient à reporter son malaise sur les autres. En s'opposant à l'idée d'admettre ses erreurs, il refuse d'évoluer sur le plan de sa croissance personnelle et il reste malheureusement victime de ses comportements antérieurs. N'ayant ni amour ni respect autant pour les autres que pour lui-même, il ne cherche pas alors à s'en sortir.

Un comportement destructif de cet ordre n'est pas la source du malaise mais plutôt sa conséquence. La source réside dans le facteur déclencheur qui pousse l'individu à adopter ce type de comportement. Souvent, ce facteur peut provenir d'un manque d'amour ou de l'impression d'en avoir manqué. Par exemple, une personne qui ne se sent plus aimée de son partenaire parce que ce dernier lui est infidèle, peut noyer son chagrin dans l'alcool et fuir momentanément son problème.

Si l'être blessé ne fait rien pour remédier à la situation et continue de boire pour fuir sa réalité, ce comportement peut devenir destructif. Le facteur déclencheur n'est pas l'excès d'alcool mais plutôt l'infidélité du partenaire. Pour corriger ce comportement destructif, tu dois toujours trouver le facteur déclencheur et l'analyser. Avec le temps et la volonté, tu pourras entamer le processus de guérison et d'acceptation de soi. Il ne faut pas te blâmer ou blâmer les autres. Il faut surmonter ton mal et ta peine pour ainsi affronter ta réalité. Pour ce faire, ton orgueil doit être mis de côté puisqu'il brimera ton évolution, ta croissance et vraisemblablement ta guérison vis-à-vis ce malaise.

Pour être en mesure de faire des choix réfléchis, il te faut t'accepter en tant qu'individu à part entière avec tes forces, tes faiblesses, tes qualités et tes défauts. Il en est de même de ta relation avec toi-même. Tu auras peut-être un jour à guérir certaines plaies intérieures et, pour ce faire, tu devras avoir avant tout la volonté, les bons outils et l'amour-propre pour aller de l'avant.

Pourquoi donc ne pas commencer dès maintenant ton apprentissage de la vie et, en améliorant ton contact avec ta réalité, tu bonifieras ta relation avec toi-même pour ainsi demeurer réaliste ? Il n'en revient qu'à toi, la seule personne concernée, de choisir si tu veux vivre ta vie ou vivre dans un mode de survie. Le choix découle de ta volonté. Et même le fait de ne pas choisir constitue un choix.

« Celui qui est mécontent
de lui-même est souvent prêt
à se venger. »

Accepter son passé
par amour de soi

Tu as sûrement déjà entendu ou même appris la prière de la sérénité : « Mon Dieu, donnez-moi la sérénité d'accepter les choses que je ne peux pas changer, le courage de changer les choses que je peux, et la sagesse d'en connaître la différence. » Cette prière bien connue suggère à quel point il est parfois difficile de gérer sa vie, et ce, à tous les niveaux. Elle est cependant encourageante puisqu'elle te dicte clairement ta responsabilité de la mettre en pratique et t'indique également que tu n'es pas seul dans ta quête.

Cette prière laisse aussi sous-entendre que tu dois apprendre à accepter les choses que tu ne peux pas changer puisque justement, en reniant que tu n'y peux rien, tu te causes du tort. Toutefois, en les acceptant avec sérénité, tu deviens un être plus fort et tu évolues dans l'harmonie avec toi-même. Le passé est impossible à changer, mais en revanche il t'est possible de travailler sur le présent puisqu'il t'appartient et d'investir dans l'avenir, car le passé n'est plus.

Si tu te retrouvais dans une situation déplorable un jour, il te faudrait t'armer de courage et de sagesse pour y changer quelque chose et rétablir ton équilibre. C'est ta responsabilité de le faire et tu dois acquérir la sagesse de reconnaître ce que tu peux vraiment changer. Cette aptitude est primordiale à développer puisqu'en t'attardant à vouloir changer quelque chose que tu ne peux pas, tu gaspilles ton énergie et tu risques de te décourager. À quoi bon en effet perdre son temps à vouloir contrôler des éléments aussi naturels que la température ou l'heure de ta mort ?

Libère-toi de ton passé en l'acceptant

S'aimer soi-même est exigeant, mais cela suppose d'être capable d'accepter son passé. Puisqu'il est désormais impossible d'y changer quoi que ce soit, apprends à vivre parmi tes souvenirs, aussi pénibles soient-ils. Que ton passé regorge de souffrances ou simplement d'erreurs dont tu es responsable, peu importe leur degré d'intensité, il peut être tout aussi destructif si tu le laisses t'envahir continuellement et nuire à ton présent.

C'est en reconnaissant et en acceptant ton passé que tu peux commencer ton processus de guérison pour enfin pouvoir vivre dans une sérénité harmonieuse. Grâce à cette nouvelle tranquillité d'esprit, tu pourras tourner la page et poursuivre ta route. Si tu es assez sage pour accepter que ton passé soit derrière toi, cela te donnera la force et la détermination de le surmonter, et ainsi tu pourras vivre avec cette leçon ou cette expérience de vie particulière qu'il t'a été donné de réaliser.

Tu as peut-être gardé certaines idées préconçues à propos de gens que tu aimais moins, et tu as alors interprété certains de tes souvenirs de telle façon. Ou tu te rappelles d'événements qui sont survenus quand tu étais plus jeune, mais pas nécessairement dans l'ordre que tu te souviens. De plus, les préjugés que tu as à l'égard d'une personne ou d'une chose peuvent influencer ton comportement et ta façon de voir les choses même si cela ne s'est pas passé de cette manière. C'est pourquoi il est important de pratiquer le lâcher prise.

Une personne qui accepte son passé et ses consé-quences est une personne qui ne se remémore pas sans cesse ses souvenirs déplaisants. Elle ne s'en plaint pas et n'en devient pas victime. Elle les élimine de son répertoire de souvenirs à raconter puisqu'elle les a affrontés et surmontés. À quoi bon les conserver si elle s'en est dégagée ? Elle assume la responsabilité de son vécu passé, mais elle lâche prise aussi sur ses pertes.

Si quelqu'un te parle par exemple de sa séparation conjugale : puisqu'il lui est impossible de changer son passé, il vaut mieux pour lui tolérer sa situation que de déblatérer sur ses blessures à qui veut l'entendre. C'est en affrontant ses propres peurs et en admettant ses erreurs personnelles qu'il laisse toute la place au pardon de l'autre et de soi. C'est aussi en ayant le courage et la volonté de surmonter sa peine, sa perte et son échec, seul ou avec de l'aide extérieure, qu'il s'en sortira. Bien sûr, il lui faudra du temps, mais selon la profondeur de ses blessures et selon sa personnalité, cela sera chose du passé à plus ou moins long terme. Par la suite, une fois ce conflit surmonté, il lui sera possible de s'ouvrir à une nouvelle relation puisque son processus de guérison sera achevé.

L'espoir peut renaître

Cependant, s'il n'accepte pas la rupture et attribue la responsabilité entière de cet échec à son ex-conjoint, il cherchera souvent à se venger. Dans ces conditions, il n'y a pas de possibilité de rétablissement ou de libération puisque ce sentiment de vengeance destructeur a monté en lui et a pris des proportions démesurées à cause de son amour-propre blessé. Ce manque de maturité ou de bon sens risque de lui attirer la maladie et de le mettre à l'écart des autres, car les gens ne sont pas toujours intéressés à entendre ses problèmes et ils préféreront l'éviter. Dans cette perspective, si le bonheur est encore possible pour lui, il se trouve en ce moment très loin à l'horizon.

Bien entendu, il va sans dire qu'il est plus avantageux de consacrer ses énergies à trouver une solution qu'à blâmer l'autre. Le blâme, même s'il peut t'apporter un certain réconfort pendant un temps, n'aboutit à rien de bon à la longue. Ne serait-il pas mieux de souhaiter à ton ex-conjoint la chance et l'amour pour être enfin en mesure de te détacher de son emprise émotionnelle et pour reprendre le contrôle de ta vie ?

En vérité, ceux qui s'aiment et se respectent entretiennent des relations saines et positives. Détester une personne et vouloir tirer vengeance de l'affront et de la peine qu'il t'a fait vivre, c'est cultiver une relation destructrice et néfaste à ta propre croissance.

Pour mieux comprendre ce que je veux dire quand je parle de détachement émotionnel, je te suggère de faire cette expérience. La prochaine fois que tu seras en auto et que quelqu'un, sous le coup de la rage, te klaxonnera pour rien, regarde alors cette personne, dépose un baiser sur la paume de ta main, et envoie-le-lui dans un souffle en lui souhaitant sincèrement de l'amour. Aussi ridicule que cela peut te sembler, tu éprouveras un sentiment de détachement par rapport à cette situation et tu ne te sentiras pas agressé. C'est cela être en harmonie avec son entourage et soi-même.

Souhaiter de l'amour à quelqu'un, c'est désirer qu'il soit bien dans sa peau même s'il n'est plus avec nous. Quand on s'aime soi-même, souhaiter le mieux aux autres est une attitude qui va de soi et qui devient une habitude. En haïssant les autres, nous ne supprimons pas la haine, nous la multiplions. On ne se libère pas de la haine par la haine. Donne-toi le droit d'être heureux et d'être en paix dans ta vie pour ainsi promouvoir l'harmonie chez les autres et chez toi.

« Si tu n'essaies pas,
il n'y a pas d'échec ;
s'il n'y a pas d'échec,
il n'y aura pas d'humiliation,
mais pas de réussite non plus. »

Reconnaître ses erreurs
sans peur

En tant qu'adulte, tu peux assumer tes responsabilités avec maturité et reconnaître les conséquences des erreurs que tu commets. Comme la plupart des gens, tu as souvent tendance à accepter tes réussites mais à refuser tes échecs. Au lieu de te culpabiliser d'échouer, accueille cette situation comme une expérience de vie. Apprends à rire un peu de toi-même, cela ne fait pas de tort et t'aide à dédramatiser. Avant toute chose, il est important de reconnaître que nous sommes tous imparfaits et de s'avouer ses erreurs pour ensuite les accepter.

Parler des erreurs qui sont source d'échecs évite de les répéter. Nul n'est à l'abri des erreurs et le simple fait de penser ne plus jamais en commettre est une erreur très irréaliste en soi. La vie se compose de buts qui se traduisent en victoires ou en défaites. Les choix que tu fais entraîneront les mêmes conséquences. La clé pour gérer tes victoires ou tes défaites se trouve dans ta façon de te comporter vis-à-vis tes choix.

Tant et aussi longtemps que tu n'auras pas remédié à la situation et compris quel est le facteur déclencheur de tes conflits intérieurs, tu pourras répéter la même erreur. Plus tu cherches à blâmer les autres pour te justifier, plus tu crées de l'hostilité. N'oublie pas que d'être humble apaise les critiques.

De quoi te sens-tu coupable ?

Le sentiment de culpabilité naît souvent d'une erreur. C'est toutefois une émotion naturelle pénible à éprouver. Si cette émotion est bien gérée, elle te fait grandir et apprendre sur toi-même. Mais il ne faut pas te sentir coupable trop longtemps au risque de créer des dommages aux plans physique et émotionnel. C'est pourquoi il faut chercher à te libérer de ce sentiment de culpabilité, car il détruit petit à petit ton image personnelle et sociale. Par exemple, si tu fais une bonne action afin de compenser pour celle pour laquelle tu te sens coupable, ton sentiment de culpabilité sera temporairement diminué, voire disparu.

La culpabilité peut s'avérer parfois tellement destructrice que même certaines pratiques culturelles ont été institutionnalisées pour chercher à l'enrayer. Par exemple, au plan religieux, le soulagement de la souffrance peut être atteint par le biais de la confession. Selon d'autres us et coutumes, certains vont se déculpabiliser en pratiquant le jeûne ou des offrandes d'animaux.

Tu connais d'ailleurs sûrement un père ou une mère qui, après une séparation d'avec son conjoint, achète des cadeaux extravagants à ses enfants pour se déculpabiliser de ne plus vivre avec eux. Ou encore, connais-tu quelqu'un qui, vivant une situation conflictuelle avec son partenaire, lui fait une crise de jalousie et lui envoie maintenant des fleurs ou des douceurs pour se faire pardonner ?

Pour te libérer du sentiment de culpabilité, tu dois en premier lieu t'avouer tes torts et être sympathique à l'égard des autres ou de toi-même. Car admettre ses torts et en assumer les conséquences est un signe de force et non de faiblesse. S'avouer vaincu est souvent la chose la plus difficile qu'on puisse être appelé à faire, mais le fait de le reconnaître est souvent accompagné d'un sentiment d'accomplissement tellement valorisant et libérateur qu'il est une récompense en soi. Pour ce faire, il est primordial de t'examiner avec un œil critique sans crainte et sans remords. Savoir reconnaître et gérer ton sentiment de culpabilité, cela t'amène à pardonner aux autres et à toi-même.

Pardon et empathie vont de pair

C'est quand on éprouve une certaine empathie pour les autres que l'on parvient à pardonner, car on comprend que leurs intentions peuvent parfois différer des nôtres. L'empathie veut qu'on s'identifie à autrui et qu'on essaie de comprendre ce qu'il ressent sur le plan émotionnel. C'est grâce à l'empathie que je pardonne.

Un jour, une femme qui avait été témoin de mon passé, « s'amusait » à se remémorer ma souffrance d'autrefois. Elle semblait contente de me rappeler certains souvenirs douloureux comme si elle voulait me faire du mal. Je lui ai rappelé que j'avais assumé et accepté mes responsabilités et mes actions antérieures. Elle m'a donné alors l'impression qu'elle aurait préféré m'entendre dire que j'avais honte et que j'en souffrais encore.

Apprendre tôt les bonnes notions

Il est important d'assumer ton passé pour bien vivre au présent. Tu dois comprendre que même si tu es souffrant, il n'est pas nécessaire de faire souffrir les autres. Puisque la souffrance peut être transmise de génération en génération, je m'assure de ne pas commettre avec mon enfant les mêmes erreurs qui m'ont marqué.

On dit que, dès l'âge de 0 à 7 ans, l'enfant enregistre ce qu'on lui enseigne ; de 7 à 14 ans, il le met déjà en pratique ; et de 14 ans jusqu'à sa mort, il enseigne aux autres ce qu'il a appris. C'est pourquoi il est de la plus grande nécessité de partager dès le début avec ton enfant des valeurs positives et de reconnaître leur puissance lors de conflits.

Il est aussi rassurant pour l'enfant d'être témoin de la réconciliation de ses parents afin qu'il puisse acquérir les outils nécessaires s'il doit un jour y avoir recours. Pourquoi l'enfant serait-il témoin d'une querelle entre ses parents et ne les verrait-il pas se pardonner l'un à l'autre, au lieu qu'ils le fassent en silence ? Les enfants apprennent en imitant le comportement de leurs parents et s'imprègnent inconsciemment de l'ambiance qui règne dans la maison familiale pour ainsi la reproduire un jour dans la leur. Voilà une raison de plus pour fournir à toute ta maisonnée un foyer harmonieux.

Qu'as-tu à craindre au fond ?

Il te revient également de reconnaître que tu fais erreur en anticipant des craintes non fondées et que cela peut nuire grandement à ton évolution et à ta croissance personnelle. Pour laisser toute la place à ton épanouissement personnel, il t'importe d'apprendre à vivre malgré tes craintes. Être capable d'en parler aux autres sans peur du ridicule ou de te raisonner toi-même est certainement bénéfique ; mais attention, le but est d'en parler pour te rétablir et non pour te plaindre ou pour raviver ta douleur.

Si tu ne parviens pas à vivre seul ta souffrance et ainsi accéder à ta guérison, entoure-toi de gens positifs et empathiques. N'aie pas peur d'être jugé, ridiculisé ou même de devenir un fardeau pour quelqu'un. Rappelle-toi que tu dois en parler pour guérir et ne tente pas de blâmer l'autre, de te venger ou de faire pitié. Pour ce, tu dois chercher à développer un raisonnement constructif et une écoute active.

En plus de tes craintes non fondées, la peur est aussi un obstacle que tu dois surmonter afin d'entreprendre ta croissance personnelle. Elle est responsable de plusieurs choix qui contribuent à l'échec. C'est pourquoi on dit qu'une peur, malgré son faible pourcentage de fondement véridique (2 % seulement), possède le pouvoir énorme de nous paralyser.

Si tu éprouves un sentiment de peur, tu dois réaliser que le problème réside non pas dans cette peur en tant que telle, mais dans le manque de confiance qu'elle entraîne. C'est la raison pour laquelle une personne dont l'amour-propre est solide s'accepte et a confiance en elle-même. Cette peur peut varier selon différents degrés d'intensité, mais si elle n'est pas gérée, elle peut se développer et devenir une phobie. C'est en acquérant la confiance en toi-même que tu pourras vaincre ta peur.

Lors de mes conférences à Val-d'Or, en Abitibi, au Québec, il est devenu un rituel de se rendre dès le matin dans la mine de la Cité de l'Or, avec certains participants et intervenants, plus particulièrement avec ceux qui souffrent de claustrophobie. À l'intérieur de la mine nous nous promenons dans des tunnels obscurs et qui suintent d'humidité. Cette visite des lieux dure environ trois heures. Au cours de cette période, plusieurs personnes deviennent paralysées par la peur et certaines pensent même s'évanouir.

Une fois l'excursion terminée, aussi significatif ou insignifiant que cela puisse sembler aux autres, ces gens se rendent compte qu'ils ont surmonté leur peur et ils en sont fiers. Ils réalisent alors qu'ils sont les créateurs de leur peur et qu'ils sont les premiers responsables du manque de confiance qu'ils éprouvent envers la vie. En somme, il suffit de croire en soi !

Marc, en compagnie de Manon Marcil (surnommée Pee-wee, à gauche) et de Jocelyne Pilon (à droite), à l'intérieur de la mine de la Cité de l'Or, à Val-d'Or, en Abitibi.

« LES DEUX TIERS DE CE QUE
NOUS VOYONS SE TROUVENT
DERRIÈRE NOS YEUX ».

Proverbe chinois

Ne joue pas à la victime

Se poser en victime retarde à la fois l'évolution personnelle et le processus de guérison. Se plaindre continuellement de circonstances indépendantes de sa volonté nourrit un malaise émotif. Le passé est fondé sur des souvenirs et l'on doit vivre au présent pour foncer vers l'avenir.

Se donner le rôle de victime est une façon de se trouver des excuses ou de chercher des personnes à blâmer pour la souffrance que l'on ressent. Sans compter que cela s'avère beaucoup plus facile que de chercher une solution pour améliorer son estime personnelle. Soit dit en passant, ce jeu est joué en partie par des personnes immatures incapables de faire face à leur vérité.

Il arrive trop souvent d'ailleurs que ces mêmes gens ressentent un soulagement temporaire à rabaisser les autres. En agissant ainsi, ils ont l'impression de se valoriser et de valider leur comportement aux yeux des autres et à leurs propres yeux, plutôt que de s'avouer vaincus. Au lieu d'humilier et d'envier les autres, la solution ne serait-elle pas d'encourager la réussite afin de la vivre soi-même un jour ?

Garde le moral

Si la vie a été dure avec toi, retrousse tes manches et accepte de ne pas te laisser abattre et démoraliser. En revanche, ne sois pas dur avec les autres. Les sentiments de haine, de rage ou de tristesse peuvent te hanter toute ta vie durant si tu décides d'y succomber. Tout comme l'amour, le mal peut être éternel. C'est à toi de faire un choix convenable.

On dit que quelqu'un joue à la victime lorsqu'il crie à tous ceux et celles qui veulent bien l'entendre que la terre entière repose sur ses épaules sans qu'il ait mérité de porter ce fardeau. Mais son attitude est un couteau à deux tranchants, dans la mesure où il est tellement préoccupé de jouer son rôle de victime pour attirer l'attention et la pitié, qu'il perd petit à petit sa vraie valeur. En plus de manipuler son entourage, il se manipule lui-même. S'il veut modifier son existence, il lui faudra comprendre que lui seul peut changer son attitude et reprendre le contrôle de ses émotions.

Quand on entretient une relation amicale avec les autres, c'est qu'on a des idées, des attitudes et des goûts semblables validés par chacun. Cependant, si quel-qu'un t'encourage et te confirme dans ton rôle de victime durant des années, cela peut occasionner des blessures irréversibles.

Besoin d'aide ?

Si tu as besoin d'une aide externe, choisis quelqu'un qui ne fait pas partie de ton entourage immédiat et qui est en mesure de formuler des critiques constructives à ton égard au lieu de souffrir avec toi par pitié. N'adopte jamais l'attitude du *pauvre petit moi !* À mon avis, personne ne fait pitié : il y a seulement des gens qui refusent de gérer leur vie et de se prendre en main.

Parfois ce que notre attitude et notre comportement dégagent peut être influencé par ce que nous aimerions subir. Le meilleur remède pour aider une personne qui joue ce jeu est de lui dire ses quatre vérités, que ce soit négatif ou positif. Cette approche constructive peut sembler sans-cœur, mais il s'agit en fait d'un processus nécessaire pour ainsi mettre fin à cette forme d'acharnement personnel. Dire ses quatre vérités à quelqu'un qui veut se faire plaindre, c'est une façon de lui faire prendre conscience de son comportement. Plus la vérité est juste et difficile à encaisser, plus le cheminement sera pur.

À ce propos, connais-tu quelqu'un qui change souvent de relation de couple mais qui n'avoue jamais avoir tort ? Si un autre prenait son courage à deux mains et lui disait les vérités qu'il doit entendre, peut-être qu'il n'aurait pas le même comportement dans sa prochaine relation.

Sois positif et responsable

Adopter une attitude positive, logique, et prendre ses responsabilités, voilà qui fait partie du processus de croissance. Comment expliquer que certaines personnes qui ont tout pour échouer réussissent leur vie, et que ceux qui ont tout pour la réussir échouent ? La réussite est beaucoup plus que le succès d'une relation amoureuse ou d'un état financier.

En fait, la réussite est le point culminant de l'accomplissement personnel sous toutes ses variantes et diffère selon l'individualité et la personnalité de chacun. La réussite d'un n'entraîne pas nécessairement la réussite de l'autre, car chacun a ses propres désirs et ses rêves personnels.

Il est important de toujours garder une attitude positive par rapport à un échec ou un conflit interne ou externe. Au lieu de percevoir tel événement comme un échec et être ravagé par un sentiment de culpabilité, parle plutôt de vécu. En effet, tout est une question de perception. Ton verre devrait toujours être à demi plein plutôt qu'à demi vide.

La vie n'est pas toujours facile, peu importe pour qui, mais si tu acceptes cette vérité et qu'elle fasse partie intégrante de ta vie au quotidien, elle sera plus simple à surmonter. Lorsque tu te retrouves devant un obstacle, dis-toi que ça fait partie de la vie et qu'il s'agit d'un parmi bien d'autres. Ne sois pas surpris, l'épreuve fait aussi partie des défis de l'humanité.

Ça vaut la peine de se prendre en main

À l'époque où j'étais policier, j'ai fait la connaissance d'une dame qui aimait beaucoup se plaindre de son embonpoint et de sa santé. Pourtant, je la côtoyais souvent lors de mes pauses au café du coin, où elle se hâtait de manger ses beignets. Elle se posait en victime en se plaignant de son surplus de poids à qui voulait l'entendre. Elle avait toujours plein d'excuses à la bouche pour justifier son échec à perdre ses kilos en trop.

Un soir, je lui ai fait la remarque qu'il était tout à son avantage que le restaurant ferme ses portes tardivement puisqu'elle pouvait s'empiffrer et se plaindre d'autant plus de son poids. À peine dix ans plus tard, dans le même restaurant, la dame en question était encore assise au même endroit à manger ses émotions. Pour ce type de personnes, plus la vie avance, moins elles changent. Après plusieurs années de pratique à faire pitié, cela devient vraiment pour elles un mode de vie si elles refusent de se prendre en main.

Lorsque tu te lèves le matin, il s'agit d'une nouvelle journée et lorsque tu prends ton petit-déjeuner, tu ne te nourris pas avec les « ordures » de la veille. La même chose s'applique à tes sentiments. La vie est là devant toi. Parfois, au nom de l'amour pour soi-même, il faut savoir effectuer un choix et ne le faire que pour soi.

Pour cesser de souffrir, il faut t'accepter et chercher de l'aide là où elle est offerte, sans honte et sans embarras. Tu dois être prêt à écouter les vérités dites à ton sujet, et ce, sans crainte et sans peur. Si cela vient d'une personne qui te connaît peu (tel un intervenant), cela devrait t'être d'autant plus bénéfique puisqu'il saura demeurer impartial par rapport à ta situation et te dire tes quatre vérités.

De plus, sache que renoncer à te poser en victime est une preuve d'amour pour toi-même. Dans une société où l'excuse fixe la règle, il faut te prendre en main et en arriver à ce que l'excuse soit tout au plus une exception.

« Je vois selon ce que je suis. »

L'amour de soi peut
te rendre méconnaissable

Il m'arrive de plus en plus de rencontrer des personnes paralysées par leur souffrance intérieure. Le
regard vide, elles m'avouent que cette souffrance et la
crainte de la surmonter font maintenant partie intégrante de leur vie et, par mécanisme de défense ou
autrement, elles ont inconsciemment appris à vivre
avec elles. Plusieurs de ces gens semblent croire qu'il
faut une solution magique pour cesser d'être une victime ou pour se défaire de l'emprise de ses sentiments
négatifs.

Comme ils veulent s'en sortir, ils cherchent une
solution qui n'existe pas et cela retarde leur cheminement personnel. Ce qui entraîne parfois comme
conséquence qu'ils renoncent à se prendre en charge. Et
pourtant, ils pourraient très bien compter sur une
possibilité hors pair pour voir enfin la lumière au bout

du tunnel. Il s'agit d'une force puissante, gratuite, disponible à tous et que tu peux te procurer sans l'aide d'autrui, c'est-à-dire *l'amour de soi.*

Lorsque tu décideras de te prendre en main, établis un plan d'action afin de t'aider dans ton cheminement. Inscris sur ce plan les choses que tu désires changer, par exemple ton attitude, ton comportement, ton humeur, et ainsi de suite ; il peut aussi englober ton présent et tes souhaits pour l'avenir. Et pour en arriver à éliminer tes sentiments négatifs, trouve d'où ils proviennent et cherche à les approfondir pour les comprendre davantage.

Bien entendu, pour amorcer ce processus, tu devras fournir un effort, t'armer de patience et de sagesse, et avoir confiance. Pour changer ta vie à plusieurs niveaux, il faut un engagement significatif de ta part : tu dois t'engager à 100 %. Ne crains pas ou ne te soucie pas des reproches des autres lors de ton cheminement personnel.

Accepte enfin que tu n'es pas parfait et tu commenceras à mieux te respecter. Tes échecs varient selon certains degrés bien sûr, mais n'en sois pas pour autant embarrassé à long terme. Reçois-les en tant qu'expériences de vie et laisse ta volonté et ton ambition te guider.

Tu as peut-être déjà remarqué qu'il se produit souvent un phénomène quand les gens font un travail de groupe. En fait, ils ont tendance à fournir moins d'efforts, lorsqu'ils les combinent à ceux des autres en vue d'un objectif commun, que s'ils doivent répondre individuellement de leurs actes. La peur de l'échec est minimisée puisque la responsabilité ne leur appartient pas personnellement. S'il y a échec, c'est le groupe qui échoue et non quelqu'un en particulier, de là les multiples excuses parfois.

Ceci dit, pour réussir ta croissance personnelle, il est primordial que tu fasses toi-même tes démarches, car ce sont tes peines, tes malaises et tes échecs que tu dois réussir à surmonter. Tu dois être constant dans ta croissance pour arriver à te surpasser et atteindre ton but, puis laisser ta détermination guider la qualité de ta conduite.

Lors de mes conférences, j'ai constaté que si quelqu'un décide de se prendre en main, il entretient certaines peurs. Le fait de faire partie d'un groupe intensifie souvent les sentiments positifs et négatifs auxquels on doit faire face. Rassure-toi, c'est tout à fait normal d'avoir peur de l'inconnu et d'autant plus quand d'autres te regardent.

Permets-toi de pleurer

D'autre part, la tristesse est fréquemment au rendez-vous car toutes sortes de sentiments t'envahissent et te permettent de donner libre cours à un trop-plein d'émotions. Il m'arrive d'être témoin, lors de mes conférences intensives de fin de semaine, de la douleur de gens qui pleurent pendant des heures avec intensité jusqu'à l'effondrement, pour enfin retrouver le sourire malgré leurs yeux rougis. Je peux aussi t'affirmer qu'après l'orage vient le beau temps et qu'ils en tirent grandement profit. Pleurer ou parler de ses peines, c'est parfois le meilleur remède pour réussir à les surmonter.

De plus, la plupart remarquent qu'ils ont trouvé un nouveau sens à leur vie puisqu'ils se sont permis de s'aimer. Pleurer un bon coup pour se libérer d'une souffrance allège le cœur et redonne espoir. Ce n'est pas facile de te laisser aller surtout si ça fait longtemps que tu t'en empêches. Il s'agit pour ton corps d'un moyen naturel et thérapeutique de gérer ce type d'émotions. Si tu te retiens de pleurer, tu brises ce cycle naturel, car tu dois fournir un effort supplémentaire pour étouffer ta peine.

En effet, il ne faut pas conserver cette peine au fond de toi, car la garder trop longtemps peut être très destructeur et t'attirer toutes sortes de choses néfastes. Il t'arrive peut-être à l'occasion de pleurer quelques larmes de temps à autre en sachant fort bien que tu en as encore gros sur le cœur à libérer. Pleurer tes peines jusqu'au bout est primordial pour que tu fasses ton deuil de ce qui te fait souffrir et pour entreprendre le processus de guérison. N'aie jamais honte de pleurer, et même toutes les larmes de ton corps s'il le faut, peu importe ce que les autres disent avec leurs normes sociales. Je t'assure que ton cœur, ton corps et ton âme en seront soulagés.

Il m'arrive de côtoyer ces mêmes gens plus tard dans la rue. Je me rends alors compte qu'ils ne sont plus les mêmes et qu'ils sont agréablement positifs, confiants, faciles d'accès et réceptifs pour partager leur amour avec les autres. Ils comprennent qu'ils se sont permis la plus belle chose qui soit : celle de s'aimer.

Ils me démontrent parfois leur reconnaissance de les avoir aidés à se libérer de leurs peines et deviennent des intervenants à quelques-unes de mes conférences, car ils sont désormais en mesure d'aider les participants à surmonter des obstacles semblables aux leurs. Je crois vraiment qu'un gramme de pratique vaut des tonnes de théories.

Nous avons tous cette capacité d'aimer et de nous aimer nous-mêmes. La distinction réside dans ta façon d'agir et l'amour que tu t'accordes en tant qu'individu. Tu peux choisir de t'améliorer ou de « t'intoxiquer » davantage. C'est ton choix. Peut-être connais-tu quelqu'un qui vit une relation abusive et qui accepte ce genre de relation au point de ne plus en reconnaître le caractère toxique.

La plupart du temps, le fait d'accepter de vivre ainsi est inscrit dans leur inconscient et leur est peu à peu devenu acceptable. Certains reconnaissent que telle relation est nuisible et dangereuse pour eux à long terme, mais ils préfèrent l'endurer plutôt que de se retrouver seuls. Ces gens ne possèdent aucune estime personnelle et ne reconnaissent pas leur propre valeur.

Il faut parvenir à briser tes patterns destructeurs pour enfin regagner la qualité de vie à laquelle tu as droit. Ta vie t'appartient entièrement et ta façon de la gérer également. Par conséquent, si tu refuses d'en faire une gestion saine et efficace, c'est encore une fois ton choix et tu ne peux blâmer personne des résultats qui en découlent.

Demeurer fidèle à toi-même et agir selon tes convictions, c'est faire preuve d'amour envers toi. Pourquoi accepterais de confier ta vie et de remettre ton bonheur entre les mains des autres ? De quoi as-tu peur ?

S'aimer soi-même et se choisir engendre parfois des pertes et ce sont les répercussions de ces pertes qui empêchent souvent la personne d'agir. Prenons l'exemple d'une femme qui accepte depuis longtemps de vivre une relation toxique. Le jour où elle décide de se prendre en main, elle quitte finalement son conjoint et met fin à cette relation néfaste. Cette décision crée un impact direct sur sa relation avec son conjoint, sur la vie de ce dernier (même s'il ne l'avoue pas), et sur la vie familiale (s'il y a des enfants).

Cela aura aussi des répercussions sur l'entourage social du couple tels les amis, les parents, la famille élargie, et ainsi de suite. Ce sont souvent tous ces facteurs jumelés avec un manque de confiance en elle qui empêchent cette femme de quitter cette relation, aussi toxique soit-elle.

Tu dois reconnaître également que la souffrance, le manque d'amour ou l'insécurité des autres ne t'appartiennent pas. Tu ne dois absolument pas rester dans une relation toxique par sympathie ou en te trouvant des excuses pour y être encore. Accorde-toi le pouvoir de décider de te retirer de cette relation sans avoir peur de ce que cela peut engendrer. Le désir de t'aimer et de te respecter nécessite parfois que tu agisses à l'encontre des attentes sociales. Qui veut un avenir harmonieux doit parfois prendre des décisions difficiles.

Il est triste de constater que de s'aimer soi-même soudainement peut parfois déranger les gens de notre entourage. Lorsque tu es bien dans ta peau, tu débordes de confiance en toi et tu n'as aucune crainte de t'exprimer. Ceci peut parfois être perçu négativement de certaines personnes qui sont portées à te juger parce qu'ils ne comprennent pas ce nouveau changement en toi et que leurs préjugés influencent grandement leur façon de te percevoir.

Rends-toi compte que ces gens agissent à partir de la souffrance qu'ils éprouvent. Ne les laisse donc pas te dicter ton comportement, ne satisfais pas leur désir de te manipuler, de te contrôler, ou de simplement laisser libre cours à leur jalousie.

En demeurant confiant et en renonçant à accepter leurs préjugés, tu te découvriras de nouveaux amis et tu t'entoureras ainsi de gens qui adoptent une nouvelle perspective beaucoup plus saine de la vie.

AMOUR DE SOI
Ma promesse envers moi-même

Si seulement j'avais appris à m'aimer
Pour la personne que je suis,
J'aurais sans doute été mieux respecté
Et par le fait même évité bien des ennuis.

Trop souvent je me suis contenté,
Par peur d'être rejeté,
De jouer dans l'obscurité
Un rôle beaucoup trop effacé.

C'est à moi de « prendre le plancher »
Et de montrer ce dont je suis capable.
C'est le temps de m'affirmer
Et d'arrêter de me sentir coupable.

S'il y a un crime pour lequel on peut me juger,
C'est sûrement d'avoir toujours fait passer
Les intérêts du monde entier
Avant les miens que j'ai tant négligés.

Dès aujourd'hui je vais accepter
Que le monde parfait n'a jamais existé,
Que j'ai ma place et je vais l'assumer
Et de mon passé, il n'y a rien à regretter.

Droit devant, je vais regarder
Sachant que bien des défis vont se présenter
Un à un, je les surmonterai
Et plus fort j'en ressortirai.

Chaque expérience me fera grandir,
Me permettra de m'épanouir,
Je me pousserai à tout accomplir
Ces rêves les plus fous que mon cœur désire.

C'est un cadeau qui m'a été donné
Que d'être là et que de vivre.
Avec le temps je l'avais oublié,
J'avais le cœur perdu, à la dérive.

Merci à toi, mon Dieu,
De ne jamais m'avoir abandonné,
Et d'me forcer à ouvrir les yeux
Pour voir combien je suis aimé !

Richard Babin

« Ce que nous voyons peut être influencé par ce que nous aimerions voir. »

Cherche à te surpasser

S'aimer soi-même exige que l'on soit toujours prêt à se surpasser par rapport aux autres et à soi-même. Il s'agit d'une prise de conscience intérieure qui vise à nous sensibiliser à nos propres besoins et à nos aspirations personnelles aussi bien qu'à celles d'autrui. L'amour de soi t'encourage à franchir des étapes à différents moments de ton existence et te procure par le fait même de petits bonheurs quotidiens tout simples.

Pour en arriver à te surpasser, tu dois être prêt à investir en toi-même et à faire plus que la loi du moindre effort, car cela nécessite un effort des plus soutenus. Comme le dit si bien la sagesse populaire : « Les grands bonheurs proviennent du ciel, les petits bonheurs viennent de l'effort. »

En investissant dans ton bonheur, il va sans dire que tu investis également dans le bonheur de ton entourage. Une personne heureuse propage et transmet son bonheur aux autres par sa bonne humeur, sa personnalité et ses gestes. T'arrive-t-il parfois d'avoir une mauvaise journée et que le sourire d'un inconnu te ramène la joie de vivre ? Ce n'est ni une chance ni une coïncidence.

En fait, cette personne a senti tout bonnement que tu avais besoin de son sourire et elle te l'a donné généreusement – comme tu aurais pu le faire pour elle dans les mêmes conditions ou en d'autres circonstances. Elle aime répandre la joie autour d'elle et cherche à la multiplier. Et pourquoi pas ? Il s'agit d'un geste gratuit, offert sans arrière-pensée, et qui n'exige rien de toi en retour. Toutefois, par politesse, tu peux très bien lui rendre son sourire. Et tu verras que la bonne humeur est contagieuse…

Pour te surpasser, il peut arriver que tu sois amené à confronter tes peines et tes souffrances présentes ou passées. Pour entamer ta croissance, il est primordial que tu pratiques le lâcher prise afin de surmonter tes souffrances et connaître ainsi une expérience de vie profitable.

Il te sera ainsi possible de continuer ta route : le plus grand voyage commence toujours par un premier pas. Si tu domines les influences qui te font souvent obstacle, tu chemineras vers la guérison et tu créeras une nette amélioration dans ta vie qui se reflètera dans ton comportement. Pour ce faire, tu ne dois pas demeurer inactif.

Certains se disent incapables de se surpasser alors que dans la réalité ils en sont parfaitement capables. Leur supposée incapacité est souvent attribuable à leur paresse. Pour parvenir à la réussite, tu dois être prêt à fournir un effort soutenu et à le maintenir de telle sorte qu'il te permettra d'atteindre tes buts. Il n'existe pas un début et une fin à cet effort investi dans le but de te surpasser : il doit être constamment en mouvement et il te faut te l'approprier par amour de soi.

Reconnaître que tu as échoué n'est pas toujours chose facile mais cela indique que tu es conscient et que tu souhaites un changement. Pour y parvenir, tu dois quitter ta zone de confort et ta routine habituelle. Il te faut être prêt à en faire plus sans attendre qu'on te le demande et sans espérer une récompense. Fais-le parce que tu veux vraiment le faire et non parce que tu cherches à en tirer profit. N'exige rien de qui que ce soit et personne n'a le droit d'exiger quoi que ce soit de toi.

Les actions sont volontaires et irréprochables, et les plus signifiantes sont souvent les plus petites. Apprends à reconnaître que le fait de surpasser l'un ne constitue pas nécessairement le dépassement de l'autre. Chaque individu connaît ses habitudes, comment il peut se dépasser, et l'on doit se respecter ainsi.

Je reconnais que les gens qui assistent à mes conférences sont à la recherche d'un changement positif dans leur vie et que l'action qu'ils posent, par leur simple présence dans l'assistance, constitue un effort de leur part. Que tu en sois conscient ou non, ce seul geste est un dépassement de soi. La peur de l'inconnu peut ralentir ce processus et représenter un obstacle valable auquel il faut prêter attention.

Exercice du miroir

Regarde-toi dans un miroir pendant 15 minutes et demande-toi si tu aimes vraiment la personne que tu voies. Es-tu fier de toi ? Prends bien soin de te regarder droit dans les yeux. À présent, pense aux gens que tu as blessés et qui t'ont blessé sur la route de la vie. Réfléchis à ton comportement passé. Par la suite, considère les blessures que tu t'es infligées à toi-même, soit par des pensées ou des idées négatives.

Es-tu heureux de ce que tu es devenu ? Est-ce que tes pensées sont négatives ? T'apportent-elles bien-être, amitié, acceptation et amour de soi ? Est-ce que tu t'es pardonné ? Sois sincère et honnête avec toi-même. L'amour de soi exige que l'on soit heureux avec soi-même et fidèle à ce que l'on représente. Pense aux gens qui t'ont blessé et demande-toi si tu leur as pardonné, par amour pour toi-même.

Est-ce que ces souvenirs t'empêchent d'évoluer, de grandir, de vivre dans la paix ? Si tu entretiens un sentiment de haine envers quelqu'un, tu deviens esclave de ce sentiment. En agissant de la sorte, tu cours le risque de devenir pareil, sinon pire que celui qui te déteste. Savais-tu que les enfants élevés dans une famille dysfonctionnelle ont pour leur part plus de

chances de répéter à leur tour ce même type de dysfonctionnement ?

Les yeux sont le miroir de l'âme

Regarde-toi de nouveau dans les yeux à travers le
miroir et demande-toi quels traits de caractère tu as
acquis de tes parents. Ces traits sont-ils plus négatifs
que positifs ? Remarques-tu certaines similarités ? Il te
faut faire une prise de conscience afin d'être capable
de briser la copie conforme du parent qui t'a mal
démontré son amour, sinon tu ne feras que propager le
même modèle avec tes enfants. Il faut apprendre à
briser ce pattern.

Il est possible de te libérer d'un pattern qu'on t'a
fait subir, lors de ton enfance, par une prise de conscience qui te permettra de léguer, à ton tour, à tes
enfants ou futurs enfants de nouveaux exemples de
comportements acceptables. Trop souvent, les gens qui
souffrent sont issus d'une famille ayant connu des
problèmes de dysfonctionnement. S'ils ne parviennent
pas à constater ou à admettre ce dysfonctionnement, ils
imprègneront à leur tour leur propre foyer d'attitudes
négatives.

D'ailleurs, à l'époque où j'étais policier j'ai pu
constater que plusieurs prisonniers étaient nés dans de
tels foyers. Ils n'avaient jamais eu la chance de vivre
autre chose. Si tu t'appropries l'amour de toi-même, tu
pourras changer ton comportement et tes perceptions
envers toi-même et les gens qui t'entourent, et faire

place à une nouvelle perspective plus positive et sereine.

Tu dois pardonner à ceux qui t'ont blessé et te pardonner à toi-même pour les sentiments négatifs que tu as entretenus à l'égard d'autres personnes. Cherche donc à retrouver en toi l'enfant blessé, et regarde-toi dans les yeux pour y apercevoir les émotions que ton visage exprime. Imagine un instant que ton enfant intérieur pouvait te parler. Qu'est-ce qu'il te dirait ? C'est aujourd'hui le meilleur temps pour prendre soin de toi si tu veux connaître un avenir prospère pour la durée de ta vie.

Les gens peuvent apprendre bien des choses en vous regardant dans les yeux. La honte, la gêne, la culpabilité, la tristesse, l'hypocrisie, la jalousie, le bonheur, l'amour sont toutes des émotions qui peuvent être perçues grâce à votre regard. Avez-vous déjà remarqué que certaines personnes sont incapables de vous regarder dans les yeux quand elles vous parlent ? Elles ont le regard fuyant. Ce défaut est parfois le signe indicatif de problèmes émotionnels.

Des yeux clairs, illuminés et heureux proclament la joie, la paix et la tranquillité d'esprit tandis que des yeux au regard vide et écorché indiquent tout à fait le contraire. La différence réside dans l'amour qu'une personne nourrit à l'égard d'elle-même et dans les habitudes de vie qu'elle a adoptées. Avez-vous déjà plongé les yeux dans ceux d'un malade ? Les yeux révèlent la bonne ou la mauvaise santé d'un individu.

Voilà pourquoi un médecin examine toujours les yeux de son patient. Ce dernier sait très bien que les yeux peuvent révéler une maladie ainsi que sa gravité. Ils sont le miroir de l'âme.

Je vous souhaite le rétablissement si vous avez vécu un manque d'amour de vous-mêmes ou une carence d'amour de la part d'autrui. Je vous souhaite aussi d'être un jour capables de vous regarder dans le miroir sans crainte et sans difficulté. Pour y arriver, il vous faudra d'abord apprendre à vous aimer malgré votre passé de mal-aimés, puis vous réconcilier et devenir enfin des êtres bien-aimés. Si vous en venez à la conclusion que vous n'aimez pas ce que vous voyez dans le miroir, ce n'est pas le miroir qu'il faut briser mais plutôt vous qu'il faut changer.

« La haine est fille
de la crainte. »

Tertullien

La haine destructrice

Entretenir de la haine ou de la colère envers quelqu'un qui t'a blessé ou trahi, c'est entretenir de l'énergie néfaste qui ronge lentement ton bonheur. Tu deviens esclave de ce sentiment et il t'est alors impossible de l'enrayer. Comment aimer autrui ou soi-même si le cœur ne connaît que la colère ? Certaines personnes ressentent tellement de haine envers quelqu'un d'autre ou soi-même qu'elles se trouvent torturées et doivent vivre avec le stress que cela occasionne.

L'émotion que suscite la haine peut occasionner un déséquilibre et attirer la maladie sur le plan physique. Elle peut également provoquer des conflits additionnels. Certains nourrissent tellement leur haine qu'ils sont capables de la déclencher rien qu'en se remémorant leurs propres souffrances.

Il m'arrive fréquemment de rencontrer, lors de consultations, des gens qui ont tellement de haine et de rancune qu'ils en sont misérables et, dans bien des cas, incapables de dormir puisqu'ils se sentent tellement tourmentés. Pourquoi enfermer notre vie dans la colère et les rancunes ? Pourquoi donc nourrir son mal ainsi ?

Il s'agit là d'une véritable torture qui démontre clairement un manque d'amour pour soi. Dans de telles situations, il faut être capable, ne serait-ce que par amour de soi, de se surpasser et d'accorder le pardon à celui qui nous a blessé. En effet, pardonner est un cadeau que l'on se fait à soi-même dans le but de libérer ses émotions refoulées qui empêchent le bonheur.

Je crois que le taux élevé de stress dans la société est en partie attribuable au fait que les gens ne savent pas pardonner aux autres et à eux-mêmes. Le pardon est pourtant essentiel à la croissance personnelle. Compte tenu qu'il n'est pas toujours facile, il n'en demeure pas moins possible quand on le désire sincèrement. Certains ne veulent pas se pardonner ou pardonner aux autres afin de mieux s'apitoyer sur leur propre passé et rechercher ainsi l'attention d'autrui.

Ce genre de comportement immature ralentit l'évolution de la croissance personnelle et est à proscrire sur-le-champ. Quand tu pardonnes, tu ne fais aucunement preuve de faiblesse. Au contraire, le pardon te permet de vivre un détachement émotionnel à l'égard de la situation. La vie comporte toutes sortes d'injustices contre lesquelles le pardon peut s'avérer le meilleur moyen de défense.

Plus tu t'aimeras toi-même, plus tu t'intéresseras et te dévoueras pour les gens qui souffrent. Nous ne venons pas au monde souffrants mais nous pouvons le devenir par suite de conflits personnels. Sois parmi les perles rares qui, malgré leurs souffrances, ne cherchent pas à faire souffrir les autres. C'est en pratiquant le pardon que nous abolirons ce modèle.

« La confiance et le sentiment
de notre propre efficacité
s'enracinent dans nos succès. »

L'importance de prendre du temps pour soi

La découverte de soi est grandement facilitée quand on s'accorde une pause. Ce temps de répit est en fait une aventure à la fois intérieure et personnelle et vise à écouter et à nourrir davantage son esprit. Il est important de s'offrir de temps à autre du temps juste pour soi, un temps précieux qui nous permet de recharger nos batteries.

Qu'il s'agisse d'un bain chaud avec pour compagnons des bulles et un livre, ou de faire la grasse matinée avec le petit-déjeuner au lit, prends donc le temps de savourer des petits plaisirs juste pour toi et en fonction de tes goûts. La culpabilité est à proscrire puisqu'il ne faut pas se sentir coupable de le faire mais plutôt fier d'être capable de se le permettre. Pense à quelque chose que tu désires t'offrir depuis déjà quelque temps et permets-toi de l'obtenir.

Il en va de même pour ton cheminement personnel. Permets-toi toujours en premier lieu d'aborder des conflits extérieurs ou intérieurs par toi-même, sans nécessairement faire appel à l'aide ou à l'opinion de ton entourage. En les examinant seul et dans un environnement convenable, il te sera possible de les voir pour ce qu'ils sont réellement. Prends un bain chaud lorsque tu portes un fardeau sur tes épaules ou encore chante à tue-tête ta chanson favorite. Tu en ressentiras un véritable soulagement.

L'opinion des autres n'est pas toujours la mieux qualifiée et peut même te nuire. La solitude est parfois nécessaire pour procéder à une mise au point sur soi-même, et ce, en l'absence d'autrui et d'influences extérieures. C'est en s'examinant soi-même que l'on prend conscience de nos préférences, de nos propres désirs, et que l'on découvre cet équilibre harmonieux qui cherche à vivre en nous. La volonté d'y parvenir doit venir de toi sinon la réussite n'aura pas sa place dans ta vie. Tu risques de l'obtenir temporairement mais tu en subiras les contrecoups dans un avenir rapproché ou lointain.

T'arrive-t-il de penser que ta vie ira bientôt on ne peut mieux ? Y a-t-il toujours un obstacle sur ton chemin, un problème à résoudre ou une dette à payer ? Est-ce que tu te fais croire qu'une fois ces choses résolues, ta vie va enfin bien aller ? Cependant, si je te disais aujourd'hui que ces responsabilités font partie intégrante de ta vie au quotidien et que tout le monde a des responsabilités semblables aux tiennes. Il n'en revient qu'à toi de les gérer à ta façon.

Prendre le temps…

Il n'existe pas un chemin spécifique qui mène au bonheur mais plutôt différentes fourches pour y parvenir. Il nous arrive parfois d'être pris au dépourvu devant une décision à prendre quand nous nous trouvons à l'un de ces carrefours, car nous savons pertinemment que le bien-fondé ou non de cette décision aura des répercussions et des conséquences sur notre bonheur. Savais-tu que le bonheur est toujours là à t'attendre ? Il te suffit de prendre des décisions réfléchies qui s'accordent à tes désirs, d'où l'importance de te connaître et de t'aimer.

Ne remets pas à demain ce que tu peux faire aujourd'hui ! Laisse de côté la paresse et agis dès maintenant. Le temps est précieux et n'attend personne ! Savoure les instants de chaque jour et tu en ressentiras une grande satisfaction. Prends le temps qu'il te faut car le temps ne viendra jamais te chercher. Il te faut trouver le temps et te l'approprier selon ton besoin !

La vie pressée d'aujourd'hui amène bien des gens au bord de l'épuisement. Elle requiert une énergie positive constante sur les plans personnel et professionnel. Répondre à nos propres besoins exige souvent de répondre aussi aux besoins d'autrui, et il n'est pas rare que nous brûlions alors la chandelle par les deux bouts. Si nous en faisions beaucoup moins, nous ressentirions un réel sentiment d'échec.

Il suffit de faire attention : Prenez le temps de prendre conscience de votre bien-être physique et psychologique et vérifiez votre emploi du temps, heure par heure, pour y trouver le temps de recharger vos batteries. Nos capacités sont parfois plus limitées que nous aimerions nous l'avouer et il nous est parfois difficile de demander de l'aide. Rappelez-vous que la surproduction n'est pas synonyme de réussite.

Il n'en tient qu'à toi de trouver des solutions réalisables pour trouver du temps pour toi-même et ainsi maintenir ton équilibre tant aux plans physique que psychologique. Considère le fait de demander de l'aide extérieure comme une force, puisque cela t'oblige à t'admettre dépassé par le temps. Si tu veux réussir, souviens-toi que le meilleur moment de prendre du temps pour toi-même est lorsqu'il se fait rare. Il n'attend personne. Tu dois presque t'en emparer sinon tu risques de le perdre.

« La solitude est une tempête de silence qui arrache toutes nos branches mortes. »

Khalil Gibran

PEINE D'AMOUR

Y a-t-il pire douleur
Que ce mal du cœur ?
Y a-t-il pire affliction
Que celle causée par l'abandon ?

Que dire de la désolation
Engendrée par la trahison ?
On en prend pour son rhume
De toute cette amertume.

On en perd l'assurance,
On est dépourvu de confiance,
Plus le goût d'avancer,
N'ayant envie que de pleurer.

Par contre on est tout autant blessé
Lorsqu'on choisit de quitter,
L'échec étant depuis longtemps constaté
Le deuil est déjà amorcé.

Mais si l'on s'aimait tout autant
Que pour l'autre comme on le prétend,
Il n'y en aurait pas de dépendance
Et il y aurait sûrement moins de souffrance.

Il n'y a pas de plus bel amour
que l'amour de soi !

Richard Babin

Apprivoiser sa solitude pour lutter contre la dépendance affective

Pour de nombreuses personnes, la solitude est souvent associée à un sentiment de désespoir. Elle effraie puisqu'elle nous oblige à nous confronter et à conclure que nous ne nous suffisons pas à nous-mêmes. Déléguer la responsabilité de son propre bonheur est typique de la personne qui refuse de vivre seule. Elle se fie aux autres et les tient entièrement responsables de sa qualité de vie, car elle a peur de manquer de temps et de se rendre compte qu'elle sera complètement seule jusqu'à la fin de ses jours.

Ce type de peur que cette personne considère incontournable fait en sorte qu'elle accepte n'importe quel type de relation avec n'importe qui. Elle ne s'accorde pas le temps de guérir d'une relation ; elle les enchaîne une après l'autre. Jusqu'à un certain degré, cette peur de la solitude intensifie la peur du rejet. Une personne engagée dans une relation, quelle que soit la valeur de ce rapport, n'a pas à faire face au rejet comme c'est le cas lorsqu'elle est seule.

La personne qui vit une relation d'amour avec elle-même écoute son cœur et ses vrais désirs, et demeure fidèle à elle-même. Elle ne noue pas une relation avec la première personne qui lui sourit. D'autre part, la personne qui n'a pas d'amour-propre ne se respecte pas elle-même et se contente de n'importe qui pour ne pas rester seule. Cette attitude révèle sa vulnérabilité et sa peur du rejet ; elle indique aussi qu'elle est facilement manipulable.

Il te faut apprendre à t'aimer en tant qu'individu et apprivoiser ta solitude pour te prouver qu'il t'est possible d'être efficace et de te suffire à toi-même. Pour aimer autrui, tu dois être capable de t'aimer toi-même au risque de renoncer à ton propre pouvoir et de devenir dépendant affectif. Cette dépendance a un impact direct sur la qualité de notre vie et comporte un ensemble de symptômes.

Lorsque nous sommes dépendants affectifs, nous sommes incapables de nous accomplir sans l'action ou l'intervention d'une autre personne.

Cela nourrit un sentiment d'infériorité, détruit la confiance en soi-même et risque de causer un malaise qui alimentera davantage votre peur. En refoulant cette peur, vous en atténuez temporairement les symptômes qui réapparaîtront plus tard en s'intensifiant. Sachez reconnaître les symptômes de la dépendance affective :

Symptômes courants d'un dépendant affectif

> ➤ Éprouve de la difficulté à établir des limites entre les autres et soi. Ces limites ont pour fonction de se protéger soi-même. L'absence totale de limites et les murs personnels qu'on érige entre les autres et soi constituent tous des anomalies qui peuvent être observées chez un être dépendant affectif.

> ➤ Éprouve de la difficulté à connaître son identité par manque d'amour de soi.

> ➤ Éprouve de la difficulté à reconnaître et à satisfaire ses propres besoins et désirs, et a besoin de l'intervention d'autrui pour le faire à sa place. Si en plus il est orgueilleux, il va carrément vivre sans satisfaire ses besoins et désirs plutôt que de demander de l'aide.

> ➤ Éprouve de la difficulté à adopter un comportement modéré. Il est facilement reconnaissable par son entourage puisqu'il passe d'un extrême à l'autre sans raison apparente.

> ➤ A de la difficulté à apprivoiser sa solitude.

> ➤ Éprouve un désir continuel de plaire aux autres dans le but de se sentir aimé.

> ➤ Recherche continuellement de l'amour et de l'affection par le biais de sa sexualité.

Pour lutter efficacement contre la dépendance affective, il faut améliorer ton estime de soi, ta confiance en soi, t'aimer toi-même et aborder la vie avec modération. Le processus qui mène à la guérison est difficile et il se peut que tu te sentes mal dans ta peau pendant cette transformation. Il faut toutefois garder à l'esprit que ce malaise est passager, et que, finalement, tu en sortiras vainqueur.

Que l'on vive seul ou en couple, la route pour apprivoiser sa solitude est décisive et elle doit être parcourue seul. Entreprendre un cheminement personnel requiert un grand ménage intérieur pour aboutir à des retrouvailles avec soi-même. Comprendre cette forme de peur par rapport à la solitude est un processus naturel qui te confronte à tes démons intérieurs et qui nécessite attention et amour. Quand tu es seul, c'est le moment opportun de prendre soin de toi et de t'étudier attentivement pour confirmer tes réussites et t'engager à surmonter tes échecs.

Les sentiments d'autosuffisance et d'autonomie influencent grandement les comportements physique et psychologique. Ils provoquent une amélioration de notre qualité de vie et s'enracinent dans nos succès. Quand on réussit à se débarrasser de sa peur de la solitude, cela amène une forte diminution du stress, vécu chaque jour, attribuable à cette dépendance. Nous méritons tous une qualité de vie supérieure et nous avons tous le potentiel pour y parvenir. Il suffit d'avoir la volonté de subvenir à ses propres besoins pour atteindre son potentiel.

Avez-vous déjà remarqué que les gens qui se sentent le plus souvent seuls le sont rarement ? Quand ils vivent un « vide émotionnel », ils s'entourent toujours de n'importe qui, à n'importe quel moment, pour déjouer leur solitude. Ils sont comme des affamés, en manque de nourriture, prêts à faire n'importe quoi, pour n'importe qui, dans le but de plaire et d'obtenir la compagnie de quelqu'un d'autre. Pourtant, la responsabilité de les combler ne revient pas à leur entourage, mais bien à eux-mêmes.

Lorsqu'ils se retrouvent entourés de gens, ils se sentent quand même seuls, vu qu'ils ne ressentent pas d'intimité ou d'attachement à l'égard d'autrui. Plusieurs m'avouent avoir vécu de multiples relations amoureuses, l'une après l'autre, pour ne pas avoir à se retrouver seuls vis-à-vis eux-mêmes. Ce genre de relation ne procède pas d'un vrai choix, mais plutôt d'un besoin dont on se sert pour assurer sa survie. Ce type d'attachement est une illusion d'amour et est le résultat d'une incapacité à apprivoiser sa solitude.

Cette sorte d'illusion se produit surtout chez ceux qui ont un flagrant manque de confiance en eux-mêmes, étant donné qu'ils sont incapables de rester dans l'ombre de la solitude et ne peuvent pas fonctionner sans l'intervention extérieure de quelqu'un d'autre. Ce type de relation est souvent empreint de jalousie et de possessivité, car ces sentiments viennent confirmer l'individu quant à l'illusion qu'il se fait de son importance dans la relation.

D'autre part, l'amour que l'on éprouve pour autrui est un sentiment qui vient agrémenter une vie sans pour autant devenir une nécessité. Cette forme d'amour résulte d'un choix réfléchi. L'amour de soi doit faire partie de nos priorités. La peur de la solitude demeurera incontournable si on ne possède pas un attachement certain pour sa propre personne et pour son développement. Ta carence affective exigera constamment la présence des autres et le besoin pressant de te faire approuver.

Que ton choix soit bien senti

Assure-toi toujours que ta décision de continuer une relation soit vraiment la tienne et non pas dictée par tes peurs ou par le mépris d'autrui. En assumant ta décision, laquelle est renouvelable chaque jour, tu ne compromets pas ton pouvoir. Si tu prends un jour la décision de mettre un terme à une relation toxique, dis-toi bien que cette décision constitue une preuve d'amour pour toi-même sur le chemin qui mène à la guérison.

Lorsque nous nous approprions le pouvoir de décider, cela signifie que nous sommes confiants dans nos décisions et que nous nous sentons efficaces et autosuffisants. Tout changement commence par un pas, un seul petit pas. Sois conscient de l'importance de penser à soi, chaque jour, et d'intégrer ce comportement positif dans ton mode de vie. Bien sûr, il te faut également être respectueux et conscient des autres. On ne doit pas accorder le contrôle absolu à l'autre, sous aucun prétexte, ni s'approprier le sien.

Il ne faut pas laisser l'être cher devenir le pilier de sa vie ni devenir le pilier de la sienne. Une relation saine et réciproque entre deux partenaires autonomes exige le respect mutuel. Nous avons tous le droit d'être aimés sans jalousie ni compromis. Le choix d'un partenaire ne doit pas être pris à la légère puisqu'il détermine l'importance que nous nous accordons. Il faut aimer la vie et non vivre pour se faire aimer.

Plusieurs participants à mes conférences m'ont avoué qu'ils ne pensaient pas que l'amour et l'affection pouvaient se métamorphoser en dépendance. Cette dernière est souvent attribuable à un manque d'amour incontestable sur le parcours de notre vie et aussi à la peur de la solitude et du rejet. La dépendance affective peut se manifester par suite d'un abandon par un parent, à cause d'un divorce ou d'une adoption, d'un rejet par un ami d'enfance ou d'adolescence, ou à cause d'un souvenir passé, pénible et souffrant...

Cette dépendance peut apparaître dès le jeune âge et s'amplifier avec les années. L'enfant qui se sent négligé sans nécessairement vraiment l'être traînera comme un boulet ce manque ou ce malaise au fond de lui-même. Dans le seul but d'être accepté par son entourage, il est fort possible que cela l'amène un jour à poser des actions ou des gestes qui lui feront du tort. Combien d'enfants acceptent de tolérer l'abus sexuel pour justement se sentir aimés. Une fois adultes, s'ils n'ont pas encore compris la source de ce malaise, ils auront tendance à vivre sous la domination de la dépendance affective et de sa peur paralysante.

Lors de mes conférences, une participante m'a déjà avoué s'être prostituée non seulement pour l'argent, mais pour l'illusion de l'amour que cela lui procurait. Elle disait même avoir été amoureuse de certains clients en sachant très bien que cette relation était basée purement et simplement sur la sexualité. En se prostituant ainsi, elle avait l'illusion d'être aimée et appréciée par des inconnus.

Permets-toi d'être exigeant dans tes choix de relations interpersonnelles et n'aie surtout pas peur de vivre dans la solitude, si tes choix s'avèrent irréalistes et non conformes à tes attentes. Qu'il s'agisse d'une relation amoureuse ou amicale, ton choix reflètera la perception que tu as de toi-même. Au lieu de chercher à être choisi par l'autre, pourquoi ne serais-tu pas celui qui effectue ce choix ? Et pourquoi ne pas renouveler, chaque jour, ton amour pour ton partenaire et pour toi-même ? Ainsi, vous vous approprierez le pouvoir du choix et susciterez une preuve d'amour pour vous-même.

« Qu'on le passe en chantant ou en pleurant, l'espace d'une vie est le même pour tous. »

Proverbe japonais

Les différentes facettes
de la solitude

Dans une société cherchant à nous persuader qu'il est préférable de vivre à deux, il n'est pas surprenant qu'une personne vivant seule croit parfois ressentir le mépris d'autrui car elle a l'impression d'avoir raté le bateau. Vivre en solitaire l'amène à croire qu'elle n'utilise pas le plein potentiel de sa vie, alors que, pour une autre personne, vivre seule constitue tout simplement un mode de vie.

Comment expliquer la différence entre ces deux pôles ? À vrai dire, il est parfois plus difficile pour certaines personnes que pour d'autres de vivre seules, mais la solitude est une étape nécessaire, au terme d'une relation, pour nous permettre de faire une pause salutaire.

Profites-en et souris à la vie puisqu'il s'agit d'un moment propice pour prendre soin de soi et se gâter sans culpabilité. Il te faut vivre le deuil de la relation ainsi que les changements que cette rupture peut provoquer en ce qui a trait à ton niveau de vie et à ton entourage. Tu dois prendre le temps de te soigner et de guérir afin d'en ressortir vainqueur. Chez le couple qui se sépare, plus la relation est intense et de longue date, plus la séparation est douloureuse.

Il faut tout d'abord vivre cet état de crise seul afin de se l'approprier et se conscientiser. Tu dois continuer de t'aimer malgré les sentiments ambigus qui t'habitent et il te faut continuer de vivre pour toi et avec toi, et non aux dépens des autres. Il se peut qu'il y ait des êtres, tes enfants par exemple, qui comptent quand même sur toi malgré ta condition, et c'est pourquoi il est important de savoir gérer ces sentiments. Pour ce faire, il est primordial de connaître les différentes facettes de la solitude.

La solitude épreuve

Ce genre de solitude est associé à la séparation du couple, qu'elle soit volontaire ou non. Il s'agit d'une épreuve qui aboutit à la détresse, au deuil, au sentiment d'abandon. Étant donné que cette forme de solitude n'est pas favorable, nous cherchons plutôt à la fuir ou à la nier. Il arrive que certaines gens développent une dépendance quelconque pour lutter contre les sentiments éprouvés lors d'une solitude épreuve. Comme par exemple la consommation excessive de drogues ou la pratique d'une sexualité effrénée.

C'est pour cette raison que certaines personnes vont se lancer dans les bras de quelqu'un d'autre, en guise de remède pour apaiser leur mal et pour ne pas rester seules à affronter la réalité. Ce type de comportement est nocif parce qu'il ne te laisse pas examiner à fond ton comportement et vivre ton deuil. Cela ne fait que retarder l'échéance. Cependant, après une séparation, je te suggère de rester seul, un minimum d'un mois, pour chaque année vécue avec ton ex-conjoint ou conjointe.

La solitude refuge

Ce genre de solitude évoque plutôt la peur et la honte par suite d'une déception amoureuse. Cette forme de solitude se caractérise par de l'égocentrisme et le désir de se protéger. Ce type de personne va ériger un mur personnel autour d'elle en guise de protection. Comme le dit si bien le fameux proverbe : « Chat échaudé craint l'eau froide ». Cependant, ce mur risque de lui occasionner des conflits supplémentaires.

Je conseille aux gens souffrant de cette forme de solitude de ne pas s'enfermer dans leur peur et de ne pas devenir des personnes introverties. Il faut continuer à vivre dans son entourage et veiller à ses propres besoins physiques et émotionnels. Se tenir à l'écart des autres et se refermer sur soi-même, cela mène au mépris et à un sentiment autodestructeur, résultant de l'ennui. Ce type de personne va préférer négliger ses propres besoins plutôt que de demander de l'aide extérieure.

La solitude ennui

Cette facette courante de la solitude est caracté-risée par l'ennui qui habite la personne seule. Elle ressent une mélancolie vague, une lassitude morale qui fait qu'elle ne prend d'intérêt ni de plaisir à rien. Cette impression est si intense qu'elle éprouve le besoin impérieux de rencontrer quelqu'un à tout prix afin de se distraire. Cet état de manque se traduit ici par l'absence de l'autre et par une privation d'échanges de connaissances.

Pour remédier à ce manque, il peut arriver à l'occasion que tu te rendes chez le médecin pour qu'il te prescrive des antidépresseurs, alors qu'il suffirait souvent de simplement en parler pour te rétablir et apaiser ton ennui. Une personne qui souffre de ce genre de solitude, et veut se donner l'illusion de ne pas être seule, va combler ce vide en ayant toujours le bruit incessant de la radio ou de la télévision comme fond sonore.

Si toutefois tu ne souhaites pas parler à quelqu'un, écris tout bonnement sur une feuille de papier ce que tu as sur le cœur, comme si tu t'adressais une missive personnelle. Relis cette lettre par la suite et détruis-la. Par ce geste, tu reconnais que l'ennui a frappé à ta porte, mais que tu ne l'as pas laissé s'emparer de toi.

Trop souvent des gens se suicident faute d'avoir pu puiser de l'aide extérieure pour s'extirper de l'ennui. Si tu t'encroûtes dans la solitude ennui trop longtemps, cela est révélateur de ton inaptitude à en décider autrement. Sois conscient d'une chose : il y a autant de célibataires que de couples qui sont victimes de l'ennui puisqu'il provient d'une douleur profonde enfouie au tréfonds de toi. Tôt ou tard, il te faudra bien l'exprimer.

La solitude sagesse

Certaines personnes choisissent délibérément de vivre seules car la solitude est pour elles un moyen de grandir et d'améliorer leur relation avec elles-mêmes. La solitude rétablit chez elles leur équilibre émotionnel, si bien qu'elles voient plus clair, qu'elles peuvent aussi s'examiner sous un nouveau jour et se connaître davantage.

Une personne bien dans sa peau voit la solitude comme un privilège, un luxe, un cadeau qu'elle s'accorde à elle-même. S'autoriser à vivre seul, c'est se permettre d'évoluer à son propre rythme et se tenir exclusivement responsable de son propre bonheur. La solitude ici est synonyme de liberté puisqu'elle nourrit l'âme. Apprivoise ta solitude et vis-la pleinement. Tu en arriveras à éliminer rapidement les craintes et les préjugés que tu pouvais entretenir à son sujet.

Bilan à faire sur la solitude

Voici quelques réflexions à effectuer sur la solitude. Pour ce faire, prends une feuille de papier, trace deux colonnes au-dessus desquelles tu mettras à la fois un V pour Vrai et un F pour Faux. Pour chacune de ces réflexions, sois assez honnête pour cocher si la situation décrite est vraie ou fausse pour toi.

> ➤ À l'heure du lunch, je choisis toujours d'aller manger avec des collègues.

> ➤ Dans mes temps libres, je ne peux rester à rien faire si bien que je trouve toujours à m'occuper.

> ➤ La solitude est à mon esprit ce que la diète est au corps – elle est inconfortable !

> ➤ Je n'aime pas être célibataire.

> ➤ Le silence évoque en moi de la peur ou de l'ennui.

> ➤ La solitude me rend suicidaire.

> ➤ Mes jours de congé sont un ennui mortel à combattre.

> ➤ J'accepte toutes les invitations qu'on me fait simplement pour sortir de la maison.

> ➤ Enfant, mes parents se sont séparés ou ont divorcé.

> ➤ J'ai besoin de la télévision, de la radio ou d'un animal pour me tenir compagnie.

➢ Je préfère endurer une relation toxique plutôt que de me retrouver seul.

➢ Je me sens parfois comme si j'étais la seule personne au monde.

➢ Je n'ai jamais pris de vacances tout seul.

➢ J'ai l'impression d'être pressé d'aller nulle part.

Si tu as répondu vrai à au moins deux de ces questions, il est possible que tu éprouves une certaine difficulté à rester seul.

Si tu as répondu vrai à trois ou quatre de ces questions, il est temps que tu apprivoises ta solitude et que tu affrontes enfin cette peur pour pouvoir te dépasser.

Si tu as répondu vrai à quatre questions ou plus, autorise-toi à vivre pleinement ta souffrance et apprends à t'aimer. Tu es sûrement en mode de survie en ce moment.

« Vivre sans ami,
c'est mourir sans témoin. »

George Herbert

L'importance dans le choix de ses amitiés

« *Qui se ressemble s'assemble* », dit le fameux proverbe. Il va de soi en effet qu'il est très important de savoir choisir ses amis. L'amitié est un sentiment d'affection réciproque entre deux personnes ou plusieurs, où les liens du sang ou à caractère sexuel n'entrent habituellement pas en ligne de compte. L'amitié, bâtie sur le respect et l'équité, est caractérisée par un attachement profond qui évolue au fil du temps.

Chacun a droit au respect et nous devrions toujours l'exiger. Ces deux valeurs que sont le respect et l'équité constituent en général les fondations de toute relation parce qu'elles sont étroitement liées à l'intégrité. L'équité repose sur le principe que chacun apporte quelque chose à la relation pour l'améliorer.

La communication entre amis nous permet de nous faire connaître tels que nous sommes vraiment sans crainte ou sans peur d'être jugés. La confiance prend la place de l'anxiété et tu te sens libre et à l'aise de te confier à l'autre sans risquer de perdre son affection. En dévoilant les secrets de ton cœur à ton ami, il est encouragé à faire de même et à ainsi donner libre cours à un échange réciproque. Petit à petit, l'amitié grandit, la relation devient plus intime et la valeur de vos échanges devient aussi précieuse pour l'un que pour l'autre.

En amitié, la peur d'être jugé et le rejet sont en général inexistants puisqu'un ami cherche habituellement à t'écouter, te témoigne de l'empathie et est sensible à tes besoins pour ensuite valider tes sentiments. Son écoute active t'encourage à être authentique dans tes sentiments et respectueux des siens.

Quelles sont vos affinités ?

Dans le choix de tes amis, tu devrais être plutôt porté vers des gens auxquels tu peux t'identifier et avec lesquels tu as certaines affinités : par exemple les mêmes goûts, les mêmes connaissances, les mêmes valeurs, les mêmes idées, le même niveau de scolarité, le même statut social, les mêmes intérêts, et ainsi de suite. Si tu nourris en plus les mêmes idéaux que ton ami, cette relation t'aide dans ta croissance personnelle, en autant que ces idéaux soient justes et valables.

En amitié comme en amour, tu dois faire preuve de bon jugement. Dans les deux cas cependant, il est primordial de t'aimer d'abord et avant tout. De plus, puisque tu développes des liens d'amitié avec des gens qui te ressemblent, il faut à la base qu'il y ait du respect entre vous. Sinon cette amitié pourrait être vouée à une relation destructrice. Sitôt que cette relation ne semble pas équitable, un malaise se développe. La personne la mieux avantagée des deux va éprouver une certaine culpabilité, alors que l'autre sera irritée d'être désavantagée et aura tendance à se sentir plus malheureuse et déprimée.

Sois ouvert et à l'écoute

Avoir l'esprit ouvert, être à l'écoute de l'autre sans préjugé ni parti pris et faire des critiques constructives, voilà les qualités que tu devrais rechercher en amitié. Ne refuse jamais d'apprendre quoi que ce soit sur toi-même afin d'évoluer dans ta croissance personnelle.

Si tu démontres une certaine ouverture d'esprit à l'égard de toi-même, l'autre sera incité à manifester la même ouverture. Et si tu es disposé à prêter l'oreille aux confidences de ton ami et à lui offrir ton soutien, il en fera tout autant pour toi aussitôt que l'occasion se présentera. En vérité, si tu t'aimes vraiment, tu fais montre d'une amitié sincère et cela donne lieu à des échanges réels. Et votre amitié ne se mesure pas d'après le nombre d'années que vous vous fréquentez, mais plutôt d'après la qualité de vos échanges.

Les meilleures relations sont celles où les deux amis s'épanouissent et sont si confiants l'un vis-à-vis l'autre qu'ils se révèlent chacun progressivement. L'amitié sera d'autant plus durable si tous deux reçoivent en proportion de ce qu'ils donnent. Je te suggère fortement de te méfier des prétendus amis qui font appel à toi seulement quand ils ont de la peine ou des problèmes. Voilà ce que j'entends par une relation plus destructrice qu'amicale.

Attention également à ne jamais devenir la béquille émotionnelle de l'autre. Pour que la relation puisse évoluer, il faut que l'échange entre amis soit positif et réciproque. Sache reconnaître cette différence. Si dans votre relation tu as l'impression de jouer le rôle d'un bouche-trou, c'est probablement que tu l'es !

T'arrive-t-il d'arriver enfin à te lier d'amitié avec quelqu'un, que tu as pour ainsi dire « harcelé », afin qu'il daigne t'accorder son amitié, tant ton admiration pour cette personne est grande ? Si elle y consent, cela ne signifie pas nécessairement que son amitié à ton endroit est réciproque. Cela veut peut-être simplement dire que cette personne accepte d'être liée à toi strictement parce qu'elle estime au plus haut point que tu l'admires.

Dans ces conditions, cette attitude lui confère d'ailleurs un sentiment de supériorité sur toi. Sans conteste, ce type de relation ne peut qu'être néfaste à long terme et t'amener à aller à l'encontre de tes convictions. Sans compter que cette relation peut engendrer l'intimidation et l'hostilité pour ensuite te laisser dans un état dépressif.

Si tu décides de bâtir une amitié avec quelqu'un, que cette relation soit motivée par votre volonté à tous deux de vous épauler, par besoin mutuel d'avoir un ami à qui tout confier, mais, de grâce, ne t'y sens jamais obligé. Dis-toi que tu accordes à l'autre le privilège d'entretenir une amitié avec toi et non un droit sur toi. Rappelle-toi que la même chose est vraie quant à l'amitié que l'on t'accorde. Tu dois te sentir privilégié qu'un autre te fasse l'honneur de devenir ton ami.

« Une demi-vérité est souvent
un gros mensonge. »

Cesse de te définir d'après tes relations

Il arrive parfois que des personnes se définissent d'après les relations interpersonnelles qu'elles entretiennent avec autrui. Étant donné qu'elles sont incapables de se sentir comblées par elles-mêmes et valables à leurs yeux, elles se sentent obligées de « s'accrocher » à quelqu'un afin de se donner de la valeur. Par conséquent, elles deviennent l'image de la personne qu'elles fréquentent.

Puis, allant de relation en relation, elles revendiquent qu'on leur prouve qu'on les aime et, pour ce faire, elles exigent constamment des preuves rassurantes en gestes ou en paroles afin de se valoriser elles-mêmes. Il peut même arriver dans certains cas qu'elles réclament continuellement qu'on les rassure à tout prix avec cette question incessante : « Est-ce que tu m'aimes ? » Ces personnes sont terrifiées à l'idée de se retrouver seules, car elles se fient sur les autres depuis toujours pour subvenir à leurs propres besoins.

Et bien qu'on leur témoigne des marques d'affection sincères, elles ont souvent l'impression de ne pas être aimées. Pour elles, une rupture est un échec réel, peu importe la qualité douteuse de leur relation. Après cette rupture, pour reconquérir l'être aimé, elles sont prêtes à renier leurs convictions, à oublier même ce qui a contribué à mettre fin à cette relation, pourvu qu'on leur accorde une deuxième chance. Elles semblent avoir un besoin pressant de conserver un lien avec l'autre, même si cela mine et menace leur santé et leur équilibre psychologique.

Découvre ce que tu vaux

En vérité, elles tiennent désespérément à ce lien jusqu'à ce qu'elles entrent dans une nouvelle relation – question de ne pas se retrouver seules –, et elles répètent ce même stratagème afin de se sentir rassurées encore une fois. Malheureusement, ce scénario continue parfois durant plusieurs années et malgré plusieurs relations valables.

Pour que ce cycle infernal cesse enfin, il faut d'abord et avant tout apprendre à t'aimer et à reconnaître quelle est ta vraie valeur sans avoir besoin de recourir constamment à l'extérieur de toi pour puiser cette valorisation personnelle. Les relations interpersonnelles sont d'ailleurs très révélatrices de l'amour que tu nourris à l'égard de toi-même.

N'oublie pas que les personnalités semblables s'attirent, donc un caractère fort et positif en fascinera un autre de même intensité, tandis qu'un tempérament dépressif et négatif attirera des gens qui voient d'abord le côté le plus obscur des choses.

Il te faut être sélectif dans le choix de tes relations interpersonnelles et non t'engager à la légère avec elles ; et surtout pas par peur de te retrouver seul. Pourquoi choisirais-tu de partager ta vie avec une personne que tu connais à peine ou encore qui risque de te faire vivre des conflits et des déceptions sans cesse ?

Tu as droit au respect, alors apprends à te respecter toi-même

Accepter moins que ce que tu mérites démontre un manque de respect et d'amour envers toi-même et mine ton équilibre. Il n'en revient qu'à toi d'établir dès le départ des conditions et des caractéristiques non négociables – que tu ne peux accepter de la part des autres sous aucun prétexte –, même si cela semble capricieux à certains.

En posant d'avance tes conditions, tu fixeras déjà aux autres les limites à ne pas enfreindre dans votre relation, et tu démontreras ainsi quelle est ta valeur et celle que les autres devraient reconnaître en toi. Si tu consens à accepter moins que ce que tu mérites, tu donnes par le fait même cette perception aux autres, et tu te trouves pris au piège de relations lamentables.

Sois intuitif et conscient des besoins des autres afin de percevoir assez vite si tu peux envisager une relation avec telle ou telle personne. Apporter quelque chose de neuf à une relation au lieu d'accabler l'autre, voilà deux notions tout à fait différentes qui peuvent changer considérablement une relation et décider de sa continuité.

Sois conscient de tes choix

T'arrive-t-il de connaître toujours les mêmes drames, peu importe quel est ton conjoint du moment ? Es-tu de ceux qui croient que l'amour fait mal et qu'il est impossible de l'obtenir autrement qu'en souffrant ? Cherche ce qui t'amène à choisir tel type de conjoint et analyse alors quelle sorte d'amour et d'énergie tu dégages. Si tu es toujours attiré par le même genre de personne, que ta façon de réagir demeure la même et te donne des tourments, il y a de fortes chances que tu obtiennes également les mêmes résultats.

Si tu optes toujours dans tes choix pour des gens avec lesquels tu n'es pas compatible, il te faut comprendre pourquoi tu es attiré physiquement par ces types de personnes et ainsi éviter des déceptions répétitives. Essaie d'y remédier en adoptant une autre attitude, en apprivoisant ta solitude, et en apprenant à te connaître ainsi davantage. « Mieux vaut prévenir que guérir », dit le proverbe.

Sois fidèle à toi-même

Lorsque tu es en relation avec quelqu'un, fais-tu partie des gens qui cherchent avant tout à être acceptés et qui portent un masque ? Je ne saurais te dire l'importance de toujours préserver ta personnalité à toi et ainsi demeurer fidèle à ce que tu es. Certaines personnes vont même chercher à se conformer à ce que souhaite leur partenaire pour entretenir avec lui une fausse complicité.

Combien parmi vous ont les mêmes goûts, optent pour les mêmes sports, s'adonnent aux mêmes jeux et passe-temps que leur partenaire en espérant le rendre plus heureux ou plus reconnaissant ? Ce n'est pas parce que votre partenaire adore le golf que vous devez développer la même passion !

Aimer quelqu'un ne signifie pas de renoncer à ce que tu es ou d'exiger la même chose de l'autre. Cela constitue toutefois un engagement mutuel de vivre et laisser vivre. Combien de gens se remettent-ils en question et doutent de leurs capacités à se transformer assez pour devenir ce que leur partenaire *aimerait qu'ils deviennent ?*

Pourquoi changer ?

Changer de carrière, changer ses buts, changer son apparence physique, changer son cercle d'amis, et ainsi de suite, voilà quelques exemples de changements parfois subis qui t'amènent à devenir un caméléon

social, ajustant son comportement à son environnement extérieur et à sa relation.

Et pourtant, ce sont parfois les petites choses rares
qui t'ont attiré vers ton conjoint, et qui disparaissent
malheureusement avec le temps. Ces petites particu-
larités s'évanouissent-elles parce qu'il y avait un
masque entre vous ou simplement parce qu'il est question de se transformer pour gagner l'approbation de
l'autre ?

Permets-moi de te faire part d'un autre facteur
négatif qui ébranle ceux qui se définissent par leur
relation. Combien de gens en viennent à perdre leur
amour d'eux-mêmes dans l'attente que leur conjoint se
prenne en main ?

Trop souvent les promesses vides donnent de l'espoir à ceux qui se laissent manipuler et qui deviennent
par la suite codépendants du dépendant. C'est triste,
mais ce n'en est pas moins vrai : tu peux un jour te
retrouver dans un tel piège.

Ces relations entremêlées de plaisir et de souffrance affaiblissent ton amour de toi-même. Tu dois
t'en détacher et comprendre que les souffrances de
l'autre ne t'appartiennent pas et qu'il doit se prendre en
main par lui-même. Il importe avant tout de faire la
distinction entre ta vie, tes choix, tes convictions, tes
besoins et ceux des autres.

Attention de ne pas être la victime ou le jouet d'un
dépendant qui s'empare de toi comme d'une béquille

pour sa sécurité affective. Sa lâcheté et sa paresse te rendront peut-être un jour plus dépendant que lui. Quand tu te trouves devant une personne qui ne veut pas s'aider, accepte ton impuissance à faire quoi que ce soit pour elle et poursuis ta route.

« Chaque être humain possède trois traits de caractère distincts : celui qu'il a, celui qu'il montre et celui qu'il croit avoir. »

Les dangers de vouloir constamment plaire aux autres

Qui d'entre nous ne se préoccupe pas de l'opinion des autres à son sujet ? Nous dépensons une fortune en vêtements, en cosmétiques, en parfums, en diètes de toutes sortes, et même en chirurgie plastique. Faire bonne impression se traduit souvent par une récompense matérielle ou sociale et par un sentiment de mieux-être à l'égard de soi-même. Le fait de plaire aux autres te donne plus d'assurance auprès de ton entourage et en société.

Sais-tu que certains empruntent même des attitudes à d'autres en les imitant pour leur laisser une impression favorable ? C'est en quelque sorte une forme d'hypocrisie et un manque de sincérité flagrants envers les autres et soi-même. Pour plaire aux autres et pour ne pas offenser, ils adoptent des comportements qu'ils n'auraient pas autrement.

Et ces efforts qu'ils déploient pour peindre cette fausse image d'eux-mêmes deviennent petit à petit leur nouveau mode de vie. Pourquoi ne pas consacrer plutôt ces efforts et cette énergie à travailler sur leur croissance personnelle et ainsi vivre dans la réalité ? Car qu'on se le dise, le fait de toujours porter un masque doit être à la fois stressant et fatiguant à la longue, et cela entraîne des craintes additionnelles : comme par exemple qu'on découvre sa vraie image.

Si tu as une bonne estime de soi, tu es conscient de tes forces, de tes faiblesses et tu t'acceptes toi-même. Cela signifie prendre ses responsabilités, être capable de s'affirmer, savoir répondre à ses propres besoins, avoir des buts et faire tout en son pouvoir pour les atteindre. Avoir une bonne estime de soi fait de toi une personne intègre et considérée par les autres. L'estime de soi est constituée de quatre composantes de base qui, alliées ensemble, la représentent vraiment.

Composantes de base de l'estime de soi

Il s'agit donc d'abord du *sentiment de confiance* nécessaire à l'estime de soi car pour le vivre et réaliser les choses qui vont nourrir ton estime, il te faut l'éprouver intensément. La *connaissance de soi* est une autre composante clé de l'estime personnelle qui te démontre l'importance de t'aimer toi-même. Puis, tu dois comprendre le *sentiment d'appartenance* qui te permet de ne pas avoir peur du rejet ; et enfin tu acquiers le *sentiment de compétence,* d'où l'intérêt d'être auto-suffisant et apte à prouver ton efficacité par toi-même.

Si tu possèdes ces quatre composantes, il te sera possible de t'aimer sans avoir à prouver quoi que ce soit aux autres pour leur plaire. Quelqu'un qui est dépourvu à la fois d'amour pour les autres aussi bien que pour lui-même souffre d'une mauvaise estime de lui-même et d'un manque de confiance en soi. Par conséquent, il cherchera à découvrir les perceptions ou les opinions des autres à son sujet et il s'adonnera certainement au jeu du caméléon social dont j'ai parlé précédemment.

Comme tu le vois, toutes ces composantes sont intimement liées et si tu négliges l'un ou l'autre de ces aspects, tu risques d'en payer tôt ou tard le prix. Car c'est bien beau de chercher à plaire aux autres en se donnant l'impression d'être apprécié pour apaiser temporairement sa douleur, mais bien entendu, ce type de comportement t'expose encore une fois à une certaine vulnérabilité.

Apprends à dire non sans chercher à te justifier auprès des autres et à demeurer toi-même malgré les influences extérieures. Cela exigera de ta part avant tout de la compétence. C'est en apprenant à s'aimer soi-même que l'on devient compétent dans ses actions, ses attitudes et son comportement. Cette compétence, ces habiletés et ces talents que tu développes pour toi-même sont la source de ton succès.

Vivre constamment avec la peur d'être évalué et jugé par les autres peut non seulement gêner ton comportement, mais t'amener aussi à commettre plus d'erreurs. De plus, ces erreurs risquent de t'apporter des sentiments d'insatisfaction, de culpabilité et d'hostilité envers la vie, les autres et, pire encore, envers toi-même.

Et n'ajoute pas à ton fardeau en te faisant une autoévaluation négative, car cela te dévalorisera davantage. Sans compter qu'avec si peu de confiance et d'estime personnelles, tu risques de subir une crise d'identité ou d'adopter des comportements destructifs.

Jusqu'où iras-tu pour plaire aux autres ?

Un jour, un homme m'a avoué que, pour plaire à son père, il avait travaillé d'arrache-pied pendant 40 ans sur sa ferme, et que, pour plaire à sa mère, il avait épousé une femme. C'était le fermier du village, le bon gars sur qui on pouvait compter et qui aidait tout le monde, si bien qu'il n'avait plus de temps à consacrer à sa propre famille et encore moins à lui-même. Son sentiment de valeur personnelle provenait toujours des autres.

Toujours est-il qu'inconsciemment, pour être fidèle à sa réputation et pour préserver sa valeur et l'excellente opinion des autres à son sujet, il avait délibérément mis de côté ses propres désirs, ses rêves et sa raison d'être, et il avait adopté ce mode de vie pour plaire aux autres, alors qu'il aurait souhaité pour lui-même une tout autre vie. En fait, il n'avait jamais pris le temps d'avouer son amour à ses enfants et il se jetait à corps perdu dans son travail pour combler son vide intérieur.

Puis finalement, lors d'une conférence, il a pris conscience que son fils répétait ce même scénario pour se donner un sentiment d'appartenance, de valeur personnelle et de reconnaissance des autres, en compensation de ce qu'il n'avait jamais reçu de son père. Cet homme reconnaissait enfin que ses choix l'avaient amené à vivre sa vie d'abord et avant tout pour plaire aux autres, en excluant bien entendu sa propre famille et lui-même. Il tenait à s'assurer maintenant que son fils ne commettrait pas la même erreur que lui.

Ne deviens pas une marionnette qu'on manœuvre à son gré, à laquelle on fait faire ce qu'on veut, et ne porte pas de masques pour plaire aux autres et te procurer ainsi un sentiment d'appartenance. En cherchant constamment à répondre aux attentes des autres, tu deviens esclave de leurs besoins. Si tu choisis d'être déçu pour ne pas infliger cette déception à l'autre, ce n'est certainement pas une façon de te valoriser à tes propres yeux et ce n'est pas nécessaire pour éprouver un sentiment d'appartenance auprès des autres.

Ta vie t'appartient et ton bonheur est un cadeau que tu dois t'offrir par amour pour toi-même. Apprends à prendre ta place et à vivre selon ta propre personnalité sans avoir peur d'offenser ton entourage, et ce, peu importe ce que les gens vont penser de toi.

Sois authentique, sois toi-même.

Aime-toi d'abord avant de chercher à plaire aux autres.

ÊTRE VRAI

Ne vous laissez pas tromper par
mon humour, par mon sourire et par mon
charme, car je porte mille masques.

Faire semblant est devenu normal pour moi
et j'en suis fatigué. Je donne l'impression d'être
sûr de moi, que mon nom est Confiance et
que tout est beau et rose à l'intérieur de mon
cœur ; mais, de grâce, ne vous laissez pas
tromper encore une fois.

Ma surface paraît belle mais ma surface est un
masque. Dessous se cache le vrai moi, confus,
craintif et seul, mais je ne veux pas
qu'on le sache.

Je tremble à la pensée que mes faiblesses soient
exposées, car je ne veux pas avoir honte
encore une fois.

Je suis fatigué de me cacher et de ne rien dire
de ce qui pleure en moi. Quand je joue mon
jeu, ne te laisse pas tromper par ce que je dis,
mais je t'en prie, essaie d'entendre
ce que je ne dis pas.

Je veux apprendre à m'aimer et à être vrai
dans ma vie, même si parfois c'est la dernière
chose que je semble vouloir.

Je suis fatigué de courir…
Je vous en supplie, réveillez-moi !

« Le verbe aimer est le plus compliqué de la langue. Son passé n'est jamais simple, son présent n'est qu'imparfait et son futur toujours conditionnel. »

Jean Cocteau

Laisse-toi aimer !

Contrairement à beaucoup d'animaux qui vivent en groupe, le porc-épic se déplace toujours seul. Lorsqu'il est confronté à un autre animal, il réagit en se retirant ou en projetant ses piquants pour attaquer. Une fois que ses longs aiguillons s'enfoncent dans la chair de l'assaillant, les blessures s'infectent vite et peuvent causer la mort.

En fait, le porc-épic ne souhaite peut-être pas vraiment être seul, mais il ne semble pas savoir comment se rapprocher des autres sans les blesser ou sans se blesser lui-même.

Cette image vous est-elle familière ?

Pourtant, cela ne devrait pas être surprenant, car en tant qu'êtres humains nous ne cessons d'utiliser ce genre de stratégie tous les jours de notre vie. Nous avons tous nos propres piquants que nous lançons tour à tour sous l'impulsion de notre emportement soudain : le colportage de ragots, la colère, l'orgueil, l'insensibilité, l'envie, le désir de tout contrôler…

En attaquant les autres, nous détruisons des relations qui auraient pu se développer, nous faisons souffrir beaucoup de gens, et nous nous retrouvons seuls. Même si cela lui est difficile, le porc-épic doit tôt ou tard se rapprocher d'un autre, du moins pour la survie de son espèce ! D'ailleurs, il en va de même pour nous tous !

Vivez en harmonie les uns avec les autres. N'ayez pas la folie des grandeurs, mais demeurez humbles. Dieu s'intéresse à votre manière d'agir avec votre entourage, vos voisins, vos collègues de travail. La Bible dit à ce propos : « Ne faites rien par esprit de rivalité… mais, avec humilité, considérez les autres comme supérieurs à vous-mêmes. »

Faites de votre mieux pour semer la paix autour de vous. Cela demande sans aucun doute des efforts. Rentrez vos piquants aujourd'hui et demandez à Dieu de vous aider à bâtir de saines relations avec tous les porcs-épics qui partagent avec vous votre espace de vie !

PRIÈRE DU CÉLIBATAIRE

Seigneur, aide-moi à reconnaître,
Cette personne sur mon passage,
Qui pourra compléter mon être,
Et m'accompagner dans ce voyage.

Me seconder sur ce parcours,
Explorer avec moi ce chemin,
Qu'est celui de l'amour,
Marcher main dans la main.

Tu vois, Seigneur, par le passé,
J'ai manqué de clairvoyance.
Mon jugement a été brouillé,
Par ignorance et par dépendance.

Étant donné mon manque de maturité,
J'étais attiré par le superficiel,
Par conséquent, j'ai dû me contenter
D'un amour, je le comprends aujourd'hui,
artificiel.

Comment pouvais-je, Seigneur,
Aimer qui que ce soit,
Quand au fond de mon cœur,
Je ne m'aimais tout simplement pas?

Maintenant que j'ai appris m'aimer,
Et apprivoisé cette peur de la solitude,
Que je reconnais mes défauts et qualités,
Je crois enfin avoir la bonne attitude.

Pour vivre dans une relation
Fondée sur l'amitié,
Je suis prêt à participer à cette union
Axée sur le respect et l'honnêteté.

Seigneur, permets-moi de bien découvrir
Cette personne qui m'acceptera tel que je suis,
Et qui voudra avec moi grandir,
Dans cette croissance personnelle
que je poursuis.

Permets-moi de trouver, Seigneur,
La personne qui le plus me conviendra.
Aide-moi à voir avec les yeux du cœur,
Pour saisir cette chance lorsqu'elle
se présentera.

Et si un jour tu y arrives, Seigneur,
Aide-moi à ne jamais tenir pour acquis
Ce privilège, ce bonheur,
Que tu m'auras si généreusement permis.

Richard Babin

L'amour de soi augmente la capacité d'aimer et d'être aimé

Lorsque tu choisis un partenaire de vie, il vaut mieux que ton choix s'arrête sur quelqu'un qui se connaît et s'aime déjà. Cela te démontre alors que cette personne peut vivre en théorie et en pratique une vie amoureuse, et qu'elle peut vivre quotidiennement dans un environnement d'amour. Tant de gens ont si peu d'estime d'eux-mêmes qu'ils ne peuvent même pas croire que l'amour est possible.

Si tu désires connaître une relation où règnent le respect et l'amour, alors cherche en toute logique là où l'amour habite et ne perds plus ton temps. Il est clair que l'amour de soi repose d'abord et avant tout sur l'estime de soi, car ton niveau d'estime personnelle détermine le type de relation que tu entretiens avec les autres et avec toi-même. Mais qu'il soit question d'amour des autres ou d'amour de soi, l'estime joue sans conteste un rôle primordial quand vient le temps d'aimer et d'être aimé.

Bien sûr, dans une relation, connaître son partenaire n'est parfois pas évident. Comme nous l'avons vu précédemment, certains préfèrent porter un masque pour dissimuler leur vraie identité. Ils ont terriblement peur d'être vus tels qu'ils sont. Ce masque les protège du rejet, croient-ils. Cependant ils devront enlever ce masque et dévoiler leur vraie nature tôt ou tard, alors pourquoi ne pas être eux-mêmes tout de suite et être pleinement authentiques ?

C'est pourquoi il te faut être conscient de tout cela et y découvrir peut-être une raison de plus de prendre ton temps. Choisir ton partenaire de vie n'est pas une décision que tu peux prendre de façon impulsive, car cela engendre plusieurs répercussions, et il n'est pas recommandé d'envisager une expérience d'une telle ampleur sans réflexion.

Pour ce faire, il est bon de comprendre qu'il existe divers degrés dans la relation et d'établir la différence bien sommaire qui existe entre la passion, la sexualité et l'amour – question de ne pas les confondre. La passion est une émotion si intense et qui suscite chez les partenaires un enthousiasme et un désir si fougueux qu'on considère cette sensation comme étant passagère.

En effet, la passion peut saisir deux êtres avec un tel emportement qu'elle ne fait pas appel au départ à un sentiment d'affection et de loyauté, mais plutôt à un débordement irraisonné des sens et un désir impérieux de les assouvir. Il ne faut toutefois pas que ce désir vienne menacer l'équilibre des partenaires et empiéter sur d'autres besoins fondamentaux. Car quand le désir prend le pas sur les besoins et la raison, le choix peut être très difficile à faire.

Pour sa part, la sexualité est un comportement qui se couronne habituellement par une satisfaction personnelle et mutuelle de besoins affectifs et physiques. Elle possède d'ailleurs en soi sa propre récompense, c'est-à-dire le plaisir.

Et si la relation évolue et se stabilise, le couple peut choisir alors de fonder une famille et de donner naissance à leurs enfants pour concrétiser davantage leur amour. L'amour est décrit sous plusieurs facettes comme étant un sentiment propice à l'échange de gestes affectueux et tendres envers une autre personne. Il invite à l'intimité, à l'attachement et au bien-être de l'autre.

Mais qu'il soit question de passion, de sexualité et d'amour entre ton partenaire et toi, évite de toute manière de commettre les erreurs les plus courantes. Respecte d'abord cette personne telle qu'elle est, y compris ses qualités et ses défauts. N'accepte pas de vivre une relation qui va à l'encontre de tes principes profonds en te disant que tu vas amener ton partenaire à changer plus tard. En agissant ainsi, non seulement ne te respecteras-tu pas, mais tu présumeras de l'estime de soi de l'autre et de sa volonté de changer.

Aime l'autre pour qui il est et non pour ce qu'il représente ou ce qu'il peut te procurer au niveau de l'équilibre émotionnel, ou sous l'angle de la sécurité financière. Tu serais surpris de savoir combien de gens choisissent encore aujourd'hui leur partenaire de cette manière.

Demeure proactif, sélectif, mais ne sois pas impulsif dans ton choix de partenaire. De cette façon, tu auras le loisir du moins de procéder par « élimination ». Une personne au tempérament colérique ou qui est jalouse peut te sembler affectueuse à une certaine période de ta vie, et le fait qu'elle ne veut te partager avec personne te donne l'impression que tu as de l'importance à ses yeux. Méfie-toi de ses réactions cependant, car sa jalousie enflammée peut vite devenir un fardeau dans votre relation, crois-moi.

Tu ne peux pas demander à l'autre de changer

N'accepte sous aucun prétexte de vivre une relation dans ces conditions. Ne perds pas ton temps à ces jeux lourds de sens et de conséquences. Sois honnête avec toi-même et conscient des répercussions désastreuses que ce type de comportement engendre à court et à long terme dans une vie amoureuse. C'est à toi de décider.

Chose certaine, je te conseille de ne pas entrer en relation avec quelqu'un qui te plaît en caressant l'espoir secret de l'amener à changer un jour certains aspects qui t'agacent. D'ailleurs, tu ne devrais jamais rester toi-même avec une personne qui cherche à te changer, peu importe ses intentions.

Comprends-tu maintenant la nécessité de choisir la bonne personne ? Comme tu ne prendrais pas la route avec une voiture sans freins en croyant qu'elle sera quand même sécuritaire, tu ne dois pas non plus t'engager dans une relation à long terme avec les yeux fermés. Je te suggère donc d'être bien conscient de tous ces éléments avant de t'aventurer dans une relation qui revêt de l'importance pour toi.

Bien entendu, certaines personnes nourrissent un amour si égocentrique pour elles-mêmes, qu'elles ne laissent aucune place à l'autre. Une personne qui s'aime vraiment elle-même est une personne confiante qui veut partager cet amour avec autrui et le faire dans le plus grand respect. Tu dois certainement pouvoir faire cette distinction.

Quand on parle de dépendance

Si dès le départ cette relation amoureuse te semble difficile et achoppe sur plusieurs points, demande-toi s'il vaut vraiment la peine d'investir de ton temps et de ton énergie dans un tel engagement. Est-ce une relation de dépendance ? Es-tu la personne dépendante ou celle de qui l'on dépend ?

En majeure partie, la plupart des participants à mes conférences (et je suis du nombre) ont tous vécu une relation de dépendance à un moment ou l'autre de leur vie. Qui n'a pas déjà passé quelques années de sa vie à se faire accroire que sa propre histoire d'amour était l'exception qui confirmait la règle ?

Il y en a d'autres pourtant qui n'hésitent pas à bousiller leur propre relation, parfois inconsciemment, car ils éprouvent un manque de confiance en eux si fort et si morbide qu'ils vivent avec la peur continuelle du rejet. Par conséquent, ils préfèrent rejeter autrui plutôt que de subir eux-mêmes le rejet. Ils exercent un pouvoir de décision sur la relation en tant que telle pour ainsi ne pas devoir supporter un jour ce qu'ils redoutent depuis longtemps jusqu'au plus haut point.

En fait, ces gens font rarement preuve d'intimité et d'affection. Inconsciemment, ils estiment ne pas mériter cet amour et mettent un terme à la relation, avant tout par mépris pour eux-mêmes. Ne comprenant pas la source d'une envie soudaine de laisser libre cours à leur affection, ils renient toute émotion et renoncent ainsi à la chance et au bonheur d'aimer et d'être aimés. Pour ce type de gens, il est à noter que plus ils ont vécu de peines d'amour, plus l'amour leur fait peur. Une personne qui ne s'aime pas ne sait pas comment aimer autrui.

L'amour commence avec soi-même. Une personne qui s'aime et se respecte cherche à s'entourer de gens positifs qui vont lui rendre l'amour qu'elle investit en eux. Et puisqu'elle aime vivre en harmonie, elle dégage et partage son énergie positive avec ceux et celles qui l'apprécient et la respectent.

Si tes relations sont toujours plus ou moins néga-tives, peut-être te faut-il réfléchir et te demander si tu fais les bons choix ? As-tu la maîtrise de toi-même ou est-ce que ce sont les gens qui te contrôlent ?

« Il est agréable d'être
important, mais il est bien plus
important d'être agréable. »

Retrouver l'enfant en soi

Quand je parle de retrouver l'enfant en soi, j'entends par là de retrouver la source de notre joie, de notre spontanéité et de notre créativité. Dans une société qui semble de plus en plus restrictive à plusieurs niveaux, ce n'est pas toujours évident de demander aux gens d'apprendre à sourire à la vie et de prendre le temps d'avoir du plaisir. Mais je vous en conjure, laissez-vous aller spontanément, sans crainte et sans angoisse.

Ne tenez pas compte du jugement des autres et agissez sous l'impulsion du moment, spontanément, aussi irrationnel que votre comportement puisse vous paraître. Le petit enfant ne connaît pas la culpabilité ni les règles de savoir-vivre. Il se laisse tout simplement porter par ses émotions, les ressent et les extériorise, peu importe qu'elles soient excessives ou non, sans jamais se soucier de son entourage, et ce, en public comme en privé.

Connais-tu quelqu'un qui ne peut s'empêcher d'être toujours rigide et qui semble avoir oublié son enfant intérieur ? Il ne sourit pas, ne s'amuse pas et se méfie constamment des autres. Pourtant, l'enfant en lui est toujours vivant et représente sa sensibilité, sa vulnérabilité et ses peurs. Prends conscience de cet enfant qui habite en toi et établis avec lui un dialogue intérieur de façon à pouvoir calmer sa peine et ses peurs et mieux comprendre ses besoins afin de pouvoir les satisfaire.

En puisant à la source de ton enfant intérieur, il te sera désormais possible d'accepter ton indépendance vis-à-vis tes parents car tu les considéreras enfin non pas comme des héros, mais bien comme de simples individus à part entière. Cela ne devrait pas t'empêcher de les respecter, mais tu les verras pour ce qu'ils sont : des gens qui t'aiment et qui tentent tant bien que mal de te procurer tout ce qu'ils croient indispensable à ton mieux-être.

Avec ce regard neuf que tu poseras sur eux, tu comprendras alors que tes parents sont des personnes humaines qui ont pu commettre des erreurs au cours de ta vie, et tu accepteras de leur accorder ton pardon puisque l'erreur est humaine. Dans cette perspective, apprends à rire et à retrouver l'enfant en toi. Aime la vie et la vie t'aimera. Demeure positif et elle te comblera.

Lors d'une conférence, j'ai eu le privilège de rencontrer une dame qui avait pris conscience de son enfant intérieur et qui vivait chaque jour en sa présence. Elle était tout sourire et elle se permettait de chanter, de danser et de profiter de la vie en se laissant guider par ce que son cœur lui disait.

Pourquoi aurait-elle agi autrement puisqu'elle était débordante de vitalité et de santé ? Avec ses 71 ans, Agathe avait de l'amour pour elle-même et se disait comblée par la vie. Malgré son âge respectable, cette dame vivait comme une petite fille, les yeux avides de tout, et émerveillée des possibilités illimitées qui s'offraient à elle.

Les conflits et les blessures vécus lors de ton enfance jouent un rôle significatif dans ton comportement actuel et dans tes relations interpersonnelles avec les gens. Ton enfant intérieur blessé cherche toujours, malgré son innocence et sa naïveté, à recevoir enfin l'approbation et l'attention qu'il mérite afin de retrouver sa liberté. En somme, il recherche cette reconnaissance que toi seul peux lui procurer.

L'ENFANT EN SOI

Réveille-toi, petit enfant, qui t'es endormi
dans le temps
Redeviens léger pour me faire rêver.
Danse, cours, souris, aime et revis.

Réveille-toi, petit enfant,
laisse sortir tes talents
Redécouvre l'amour pour que toujours
Renaisse chaque nuit, un rêve de bonheur.

Réveille-toi pour ton amour et
pour des jours meilleurs,
Laisse aller ton cœur, mon petit enfant
intérieur.

Si je t'ai oublié pendant toutes ces années
C'est que je me suis oublié moi-même.
Mais aujourd'hui, je suis fier de dire :
« Une chance que je t'ai, mon petit
enfant intérieur. »

En guise de conclusion

Avec son taux de criminalité, de divorce et de stress en hausse – que nos médias rapportent quotidiennement et banalisent au point que tout cela semble devenu normal –, les statistiques démontrent bien que notre société est de plus en plus souffrante. Aussi est-il grandement temps de retrouver son amour de soi pour ainsi se redécouvrir en tant qu'être humain sur cette planète et se respecter tous et chacun.

Il faut changer cette trajectoire de souffrance qui dure depuis des siècles. Ne fais pas partie des endormis qui ont oublié la beauté et l'effet que l'amour de soi peuvent avoir sur l'être humain. Aimer et être aimé, voilà des besoins fondamentaux de l'être humain qui seront toujours là. Quiconque cessera de s'aimer aura à souffrir plus souvent dans sa vie.

Prends le temps de plaire à l'enfant qui t'habite au lieu de toujours vouloir plaire aux autres. Tu t'entoureras alors d'une auréole d'émotions et de bien-être intérieur, sachant que tu es bon pour toi-même. Alors retrouve ce bonheur de l'enfance aujourd'hui en t'accordant avant tout du bon temps pour toi-même.

Tant d'adultes ont simplement oublié de s'amuser et de rire comme jadis, quand ils étaient enfants. Tant d'adultes n'acceptent pas leur vie, essayant d'oublier et d'échapper à leurs problèmes dans des évasions de toutes sortes ou des relations toxiques. L'amour de soi aide à accepter ta vie et te pousse toujours à te dépasser toi-même dans les belles choses saines de la vie. Quand tu sais ce que tu vaux, tu peux mieux choisir ce que tu veux, et t'offrir du bon, du beau et du bien à toi-même.

Au début, je te souhaite beaucoup de tolérance vis-à-vis toi-même pour te libérer peu à peu de cette attitude d'indifférence devant tes choix de vie. Il faut t'aimer assez fort pour prendre des décisions difficiles et faire ce qui est mieux pour toi. Parfois, ton chemin t'amène à prendre plusieurs décisions différentes avant que tu en voies les bienfaits réels, mais avance petit à petit, ne serait-ce que de quelques pas jour après jour, et garde un effort soutenu dans ton cheminement.

Dis-toi que le découragement n'est pas une option et que tu dois progresser avec constance même si tu as le mal de vivre. Tu dois même redoubler d'efforts quand les temps difficiles surviennent pour qu'ils passent plus rapidement. En trouvant les moyens de « sortir » d'une attitude pathologique le plus vite possible, tu retrouveras ton pouvoir personnel, et c'est tant mieux.

Pour encourager de nouvelles réactions positives dans ton existence, tu dois changer ta façon de voir ta vie. En accomplissant chaque jour quelque chose qui va à l'encontre de ta répétition mentale courante, tu adoptes de nouvelles habitudes de vie. Une personne qui croit être née pour un petit pain et ne pas mériter l'amour d'autrui agira en conséquence et attirera ce type de réactions des autres qui la confirmeront dans sa croyance négative.

C'est l'amour de soi qui nous permet de sortir des sentiers battus et de guérir de ces vieilles convictions pour pouvoir enfin s'élever et améliorer sa vie sous tous ses aspects. J'ai tellement rencontré de gens qui ont changé drastiquement leur vie pour le mieux. Leur volonté et leur passion de le faire étaient devenues plus puissantes que leur peur d'échouer.

Alors, pour t'aider à effectuer ces changements, dresse une liste complète des comportements à modifier et réalise-les à ton rythme en observant tes améliorations au quotidien. En constatant des résultats dans ta vie, tu ressentiras une forte émotion d'amour pour toi-même car tu améliores ainsi ton mode de vie.

Sois assuré cependant que cette prise de conscience ne suffit pas, il faut l'accompagner de gestes concrets. Le simple désir d'être heureux est fort bien, mais ce n'est pas assez. Il te faut adopter un comportement sain

d'esprit, conscient de tes points forts et de tes faiblesses, et ce, en toute humilité.

Parler de tes points faibles à un confident t'aide
également à te tirer d'affaire, pourvu que ce ne soit pas
pour te plaindre ou pour te justifier. Ne cherche pas à
jouer le jeu du radotage sentimental et cache, s'il te
plaît, ton violon de pauvre victime. Assume ta vie
jusqu'à maintenant et pardonne-toi pour tout ; c'est la
seule façon de changer.

Je te souhaite d'aimer ta vie et les gens qui te sont
chers autour de toi. Comment peux-tu espérer recevoir
de l'amour si tu es incapable d'en donner et de t'en
donner d'abord ? Alors, aime ton prochain et tôt ou
tard la loi du retour compensera et te récompensera.

Sache que tous ces changements ne s'effectueront
pas sans que tu livres un combat intérieur. Plus tu
souhaiteras changer, plus tes vieux réflexes referont
surface et tenteront de revenir de plain-pied dans ta
vie. Dans ton processus de changement, n'oublie pas
de déterminer avant tout quels sont tes besoins. Il
serait d'ailleurs judicieux de les écrire pour être certain
de ne pas perdre ta vision de la route à suivre.

N'aie surtout pas peur d'aimer. Trop souvent, à
force de vouloir te protéger de l'amour, tu finis par te
couper des autres et de toi-même. Ce n'est certainement pas la chose à faire pour réparer tous tes trau-
matismes reliés à l'amour. Même si ton ex-copain t'a
abandonnée et que tes parents t'ont mal aimée,

l'amour est quand même ton moyen de guérir. Ne fuis pas ce qui est bon pour toi.

Grâce à l'amour, tu es en mesure d'espérer un bonheur plus grand. Mais comprends-moi bien ici, car je parle d'un amour sain, sans manipulation et de la part d'un être qui t'aime comme tu es, sans te juger.

Prends bonne note également de cette mise en garde à ne pas oublier. Il t'arrivera, au cours de ton évolution, d'envoyer parfois inconsciemment des signaux de détresse qui attireront dans ta vie des gens pour te faire exploser de colère ou te faire trembler de peur. « Rien n'arrive pour rien », dit-on. Eh bien, fais confiance à ses coïncidences de la vie, car elles se présentent à toi pour te faire cheminer et t'aider à mieux te comprendre.

Ces personnes sont peut-être de passage dans ta vie, ou elles y sont à plus long terme, chose certaine elles seront là tant et aussi longtemps que leur présence sera nécessaire à ta progression. Si tu ne tires pas une leçon d'une première erreur, et que tu revis ce même scénario avec une autre personne dans une même situation, le même pattern se reproduira avec plus ou moins les mêmes souffrances.

À preuve, combien de femmes ont eu deux ou trois mariages dans leur vie, mais toujours avec un alcoolique manipulateur ? Elles n'ont pas su tirer profit de la leçon du premier échec. Alors, réveille-toi si c'est ton cas pour apprendre enfin, pour te libérer de ta dépendance affective, et t'éviter ainsi d'autres années de souffrances.

Et surtout n'oublie jamais, au grand jamais, de faire une petite différence dans cette vie.

FAIRE UNE DIFFÉRENCE

Une petite fille vivait au bord de l'océan. Elle aimait particulièrement les créatures de l'eau, surtout les étoiles de mer, et passait de longues heures à explorer la côte.

Un jour, elle apprit que la marée allait descendre au plus bas, laissant des étoiles de mer à sec sur le sable. Aussitôt elle se rendit à la plage et entreprit de ramasser les étoiles de mer et de les rejeter à l'eau.

Un vieil homme qui vivait tout près est venu voir ce que faisait l'enfant.

« Je sauve les étoiles de mer », répondit fièrement la fillette.

En voyant le nombre incalculable d'étoiles de mer sur le rivage, le vieil homme secoua la tête et lui dit : « Je ne veux pas te décevoir, ma petite, mais là où tu regardes, sur cette plage, il y a des étoiles de mer à perte de vue. Une enfant comme toi ne pourra pas faire une grande différence. »

La petite fille réfléchit un moment, puis, prenant une étoile de mer de sa petite main, elle la rejeta dans l'océan en disant : « Je suis sûre que ça fait une différence pour cette étoile de mer. »

COORDONNÉES

Mes conférences traitent de croissance personnelle et abordent plusieurs aspects quotidiens de la
vie avec humour, émotions et une touche musicale.
Elles sont simples et efficaces. On demande aux
participants et participantes d'avoir une écoute
active. Donc, rien ne t'oblige à parler, ce qui rend
la session bénéfique, même si tu éprouves de la
timidité.

Nous offrons aussi des conférences thématiques variant de deux heures à une ou deux jour-
nées. Nous proposons également des spectacles
thérapies et des consultations privées. Et bientôt,
il sera possible de faire une retraite de quatre ou
cinq jours à partir d'un programme précis.

Pour de plus amples renseignements, veuillez
consulter notre site Internet à l'adresse suivante :
www.MarcGervais.com ou par courrier électronique : marc@marcgervais.com

Un dépliant complet des dates à retenir, des
sujets abordés ainsi que des lieux des conférences
est aussi disponible et peut être téléchargé à partir
du site Internet.

ADRESSE DU SIÈGE SOCIAL

Marc Gervais.com
C.P. 29574
5950, boul. Cousineau
Saint-Hubert, PQ
J3Y 9A9

TÉLÉPHONE

Un seul numéro pour toutes les régions
du Québec et de l'Ontario.
(819) 669-7168

Venez vivre l'expérience d'une conférence de motivation qui a aidé des milliers de personnes à améliorer leur qualité de vie